Oscar classici m... Y0-CAW-818

J. Page
703 - 357 - 7652

Vasco Pratolini

IL QUARTIERE

OSCAR MONDADORI

© 1961 Arnoldo Mondadori Editore S.p.A., Milano

I edizione Narratori italiani gennaio 1961
I edizione Oscar Mondadori maggio 1968
I edizione Oscar narrativa giugno 1989
I edizione Oscar classici moderni febbraio 2007

ISBN 978-88-04-56719-6

Questo volume è stato stampato
presso Mondadori Printing S.p.A.
Stabilimento NSM - Cles (TN)
Stampato in Italia. Printed in Italy

www.librimondadori.it

Vasco Pratolini

La vita

Vasco Pratolini nasce il 19 ottobre 1913 nel quartiere popolare fiorentino di via de' Magazzini. Il padre Ugo fa il cameriere in un caffè e la madre, Nella Casati, la sarta in un laboratorio del Corso. Nel luglio 1918, mentre il marito è al fronte, la donna muore. Venticinque giorni prima aveva dato alla luce Dante (chiamato poi dai genitori adottivi Ferruccio), il fratello biondo di Pratolini, che sarà l'interlocutore del romanzo *Cronaca familiare*. Due anni più tardi, il padre si risposa, lasciando il piccolo Dante in affidamento al maggiordomo di un ricco barone inglese e il piccolo Vasco in casa dei nonni materni. I primi anni dello scrittore scorrono nel vecchio quartiere fiorentino di via de' Magazzini e, dopo la morte del nonno (il 1° maggio del 1925), in via del Corno, una piccola strada alle spalle di Palazzo Vecchio. L'esperienza scolastica di Pratolini è brevissima. Cacciato dagli Scolopi per indisciplina, impara a leggere e far di conto da solo, spinto da una smania di conoscenza che gli permette di avvicinarsi ben presto a letture sempre più impegnative.

Intorno al 1930, per guadagnarsi da vivere fa il garzone di bottega, senza trascurare però l'amore per i libri, sui quali trascorre gran parte delle notti, a lume di candela. Trasferitosi in via Toscanella, ha la fortuna di incontrare un prezioso vicino di casa, il pittore Ottone Rosai, che lo introduce nell'ambiente degli scrittori che frequentavano la sua casa. Non ancora ventenne, conosce e legge le opere di Piero Jahier, Aldo Palazzeschi e Federigo Tozzi, ma altri erano i suoi «scrittori da capezzale», i «D.» per i quali delira: il Dante della *Vita nuova*, Dostoevskij, Döblin, Dreiser, Dickens e altri ancora, fra cui Manzoni e London.

La passione per la lettura lo porta ad abbozzare dei racconti, ma ben presto si accorge di aver bisogno di quelle nozioni scolastiche che gli erano state sottratte dalla vita da monello sulla strada. Così, pur continuando a lavorare come viceportiere d'albergo, impaginatore di giornali e, poi, come rappresentante di commercio, frequenta un corso serale di francese e si reca saltuariamente all'università come uditore. Decide, infine, di «lasciare ogni cosa. Vissi i miei giorni in biblioteca, pianificando le mie letture. Cominciai a conoscere Croce, la filosofia tedesca, dopo aver digerito ed essermi sostanzialmente nutrito degli illuministi. E la frequentazione dei miei classici ai quali sempre tornavo: Compagni, Boccaccio, Sacchetti».

Pratolini abita da solo in via Ricasoli, «accanto all'uscita di sicurezza del cinema Modernissimo, in una camera in subaffitto». Per mantenersi lavora in una biblioteca per conto di alcuni amici studenti dell'università, ma i suoi guadagni sono talmente scarsi che nel volgere di pochi anni il freddo e la denutrizione lo conducono sull'orlo del deperimento fisico.

Aveva cominciato da pochi mesi la sua collaborazione al periodico «Il Bargello» quando fu colpito da una grave malattia polmonare, che lo costrinse a stare quasi due anni in sanatorio, «fra i monti e un lago», dall'aprile del 1935 all'autunno del 1936: prima a Villa Bellaria, ad Arco di Trento, poi a Sondalo, presso Sondrio. Le esperienze e gli stati d'animo di quel periodo rivivranno nelle prose *Gli uomini che si voltano*, raccolte poi in *Diario sentimentale* (1956). Nel breve intervallo tra le due degenze, Pratolini torna a Firenze dove conosce Elio Vittorini. Questa amicizia gli consente di approfondire la sua innata tendenza a fondere la dimensione politico-sociale con quella culturale. Vittorini gli apre le porte della rivista «Letteratura» diretta da Alessandro Bonsanti, sulla quale Pratolini pubblica alcune recensioni e, nell'ottobre del 1938, il suo primo racconto, *Prima vita di Sapienza*.

Tornato a Firenze nel 1937, conosce Alfonso Gatto con cui l'anno successivo fonda e dirige la rivista «Campo di Marte». Nell'inverno del '38 muore la nonna e nel 1939, sospesa la pubblicazione del quindicinale, Pratolini lascia definitivamente Firenze e si trasferisce a Roma, dove trova lavoro al ministero dell'Educazione nazionale, nell'ufficio per l'arte contemporanea. Come è sua abitudine ormai da molti anni, di giorno lavora e di notte scrive e traduce:

Victor Hugo, *Le Choses vues*; Jules Supervielle, *Le voleur d'enfants*; Charles-Louis Philippe, *Bubu de Montparnasse*. Collabora inoltre, con articoli di critica letteraria, a «Primato», «La Ruota», «L'Ambrosiano», «Il Popolo di Roma» e «Domani», di cui diventa redattore. Dopo un breve periodo a Torino come insegnante negli Istituti d'Arte, nel 1942 comincia la stesura de *Il Quartiere*, che uscirà nel 1944.

Nel 1941 si era sposato e aveva pubblicato il suo primo libro, *Il tappeto verde*, seguito nel 1942 da *Via de' Magazzini* e nel '43 da *Le amiche*.

Dopo il fatidico 8 settembre prende parte alla Resistenza romana come caposettore del Partito comunista italiano con lo pseudonimo di Rodolfo Casati. Nel 1954 racconterà questa sua esperienza ne *Il mio cuore a Ponte Milvio*, la zona dove prese parte alle linee d'azione partigiane.

Dopo la Liberazione, Pratolini lavora per un breve periodo a Milano, presso il periodico «La Settimana», e successivamente, nel 1945, a Napoli, dove riprende l'insegnamento, che manterrà fino al 1950. Nel giugno del 1945, intanto, era morto a Roma il fratello Dante-Ferruccio, a cui sarà dedicato *Cronaca familiare*, uscito nel 1947. Nello stesso anno escono *Mestiere da vagabondo* e *Cronache di poveri amanti*, che gli vale anche il premio Libera Stampa, seppure fra molte polemiche per i suoi improbabili trascorsi fascisti. Nel 1951 torna a Roma e prosegue la collaborazione cinematografica e giornalistica iniziata nel 1947. Il suo nome compare accanto a quello dei migliori registi del nostro dopoguerra in film come: *Paisà* di Roberto Rossellini, *Rocco e i suoi fratelli* di Luchino Visconti, *Le quattro giornate di Napoli* di Nanni Loy, *La viaccia* di Mauro Bolognini. Svolge anche un'intensa attività giornalistica per la stampa di sinistra: «Milano Sera», «Contemporaneo», «Il Nuovo Corriere» e «Paese Sera», di cui fu inviato speciale, critico teatrale e cronista sportivo.

Nel 1955 esce *Metello*, il primo romanzo della trilogia *Una storia italiana*, seguito da *Lo scialo* (1960) e da *Allegoria e derisione* (1966). Nel 1963 dà alle stampe *La costanza della ragione*, un titolo che riecheggia un passo di uno dei suoi libri più amati: la *Vita Nuova* di Dante.

L'ultima sua fatica è un romanzo in versi, *Il mannello di Natascia* (1985), che riunisce poesie e prose scritte dal 1930 al 1980. Lo scrittore muore a Roma nel gennaio del 1991.

Le opere

L'opera di Vasco Pratolini si può ripartire in tre blocchi cronologici fondamentali: quello autobiografico prima del 1945; quello storico-sociale posteriore alla guerra e alle lotte partigiane; e infine quello della produzione lirica degli ultimi decenni.

I primi scritti riflettono una sorta di tradizione provinciale, ma filtrata attraverso la propria esperienza. Ne *Il tappeto verde*, pubblicato nel 1941, ma la cui stesura risale al 1935-36, l'autore propone una serie di prose in cui la prospettiva morale ed esistenziale è quella dei quartieri popolari in cui i suoi personaggi si muovono. Il disegno autobiografico di Pratolini si articola in una struttura storica ben precisa individuata da quel proletariato intriso di umanità piratesca al quale lo scrittore sente di appartenere. Nella prima stesura il libro conteneva anche alcune poesie, che Alfonso Gatto gli consigliò di togliere e che saranno pubblicate nella *plaquette*, edita da Scheiwiller nel 1967, *La città ha i miei trent'anni*. La dialettica fra letteratura e società si risolve qui in chiave essenzialmente lirica, superata a distanza di qualche anno con la pubblicazione di *Via de' Magazzini*. In questo racconto, del 1942, la dimensione narrativa e cronachistica prende il sopravvento e non abbandonerà più lo scrittore.

La rievocazione del mondo dell'infanzia in *Via de' Magazzini* è seguita dall'affresco delle prime esperienze sentimentali ne *Le amiche*, del 1943, e dalla fitta coralità de *Il Quartiere*, del 1944.

Gli inizi dichiaratamente autobiografici sfociano in un lirismo interiore con *Cronaca familiare*, del 1947. Concepita come vera e propria cronaca di un sentimento e scandita in ritmi serrati e tesi, quest'opera, pur essendo legata alla biografia dello scrittore, assume emblematici valori di universalità. La vicenda privata che il romanzo narra diventa ideologia, denuncia e testimonianza di un'innocenza che si sgretola a causa della sopraffazione di una classe elitaria contro quella dei tempi nuovi. «Il vero amore è dei poveri», sembra il messaggio unitario di questo romanzo, degli esseri a cui tutto è negato, anche il desiderio, e che devono lottare rinunciando evangelicamente al «gusto dell'offesa».

L'incontro di una tematica personale con quella sociale si realizza in *Cronache di poveri amanti* (pubblicato anch'esso nel 1947) dove viene rappresentata la vita quotidiana del popolo fiorentino negli anni 1925-26, quando la violenza fascista ha già steso la sua ala nera sulla città. Lo sfondo è ancora quello del vecchio quartiere fiorentino, in quella via del Corno dove lo scrittore ha trascorso la sua adolescenza.

Sempre nel 1947, Pratolini, con *Mestiere da vagabondo*, raccoglie alcuni racconti già editi nel volume *Le amiche* e su «Omnibus» con il titolo *Lungo viaggio di Natale*.

Il progetto di rendere il popolo protagonista di un'opera letteraria a carattere nazionale appare in questa prima fase della sua opera perfettamente riuscito. Calate quindi le tensioni di anni particolarmente duri sia dal punto di vista sociale sia politico, Pratolini si concede una pausa di divertimento letterario con *Le ragazze di Sanfrediano*, edito nel 1949. Ma si tratta di un intervallo di breve durata, poiché le speranze degli uomini che avevano fatto la Resistenza s'infrangono contro nuovi soprusi velati da una patina di legalità. È quello che emerge da *Un eroe del nostro tempo*, del 1949, il ritratto di un adolescente che scopre una realtà fatta di violenza e di prepotenze.

Inizia intanto la gestazione del muratore fiorentino Metello, il protagonista che inaugura una nuova fase nella narrativa pratoliniana: quella del romanzo storico a largo raggio. Lo sviluppo della società italiana negli ultimi ottant'anni è infatti il tema della trilogia *Una storia italiana*: tre romanzi usciti rispettivamente nel '55, nel '60 e nel '66 (*Metello*, *Lo scialo*, *Allegoria e derisione*).

Nell'ultima fase della sua scrittura Pratolini sembra prediligere la poesia, un genere letterario che simula il silenzio, che distilla lo sviluppo sintattico della narrazione. Le poesie, uscite nel '67 e nel '75, si fondono in una sorta di intreccio narrativo ne *Il mannello di Natascia* del 1980.

In un'intervista a Camon, Pratolini disse che fare della letteratura equivale a fare «degli esercizi di calligrafia sulla pelle dell'uomo». Egli non smise mai di farli sulla sua.

La fortuna

L'opera del Pratolini esordiente attira soprattutto l'attenzione del gruppo fiorentino legato alla rivista «Solaria», che già individuava nell'originale esperienza dello scrittore un disegno storico-esistenziale sospeso tra l'elegia estetizzante e il lirismo sentimentale. Queste e altre voci critiche riconoscono, seppure in varie forme, la solidità di una prosa che è bene ancorata a temi sociali, venati di autobiografismo. Ma il successo di critica e di pubblico lo ottiene nel periodo tra il 1946 e il 1947, gli anni della pubblicazione de *Il Quartiere*, *Cronaca familiare* e *Cronache di poveri amanti*. Con quest'ultimo libro, infatti, Pratolini ottiene non senza polemiche il premio Libera Stampa 1947.

Nel 1949, il romanzo *Un eroe del nostro tempo* viene comunque accolto con ostentata freddezza, per via di quel protagonista, Sandrino, che personifica il fascismo dei nuovi rampolli, quelli che trovano il loro equilibrio nella violenza. La critica forse non apprezzò l'abbandono del romanzo memoriale, corale, circoscritto al quartiere di una città. E forse rifiutò anche il tentativo di ricercare le cause sociologiche e psicologiche di alcuni atteggiamenti degli uomini del suo tempo. In breve, non comprese subito l'evoluzione dell'autore che si apprestava ad allontanarsi dalla "cronaca" per analizzare più a fondo la storia e le sue aberrazioni. Con *Metello*, infatti, che valse a Pratolini il premio Viareggio nel 1955, quelli che Anceschi chiamava «esercizi d'una malinconia della memoria» sono sovrastati dalla patina moralistica e politica del nuovo intento narrativo. Basta questo per scatenare un'accesa polemica di natura ideologica che sfocia in un vero e proprio riesame della sua opera. *Metello* divenne così un caso letterario che costrinse la critica a prendere una posizione ben precisa. Cattolici e marxisti si fronteggiarono senza esclusione di colpi e sovrastando di gran lunga l'intento del libro e dello scrittore.

Lo scialo, uscito nel 1960, suscitò un nuovo dibattito, anche se indubbiamente più moderato. Ma Pratolini era già entrato a far parte dell'Olimpo della letteratura e nel 1957 gli venne conferito dall'Accademia dei Lincei il prestigioso premio Antonio Feltrinelli, come riconoscimento per la sua intera opera narrativa.

L'interesse della critica era stato anticipato da un notevole successo di pubblico e dai suoi romanzi erano già state tratte le sceneggiature per altrettanti film. Nel 1954 sono usciti *Cronache di poveri amanti*, per la regia di Carlo Lizzani, e *Le ragazze di San Frediano*, diretto da Valerio Zurlini. Sempre Zurlini ha realizzato nel 1962 *Cronaca familiare*, "Leone d'Oro" alla Mostra d'Arte cinematografica di Venezia. Del 1955 sono invece *Un eroe dei nostri tempi*, con la regia di Mario Monicelli, e *Metello*, di Mauro Bolognini.

Nel 1960 ha vinto il premio Veillon per *Lo scialo* e nel 1963 il premio Marzotto per *La costanza della ragione*, di cui Pasquale Festa Campanile ha realizzato il film.

L'opera di Pratolini è stata tradotta in tutto il mondo, in oltre venti lingue.

Bibliografia

Prima edizione

Il Quartiere, "Nuova Biblioteca", Milano 1945; poi Vallecchi, Firenze 1948.

Opere di Vasco Pratolini

Il tappeto verde, Vallecchi, Firenze 1941; poi Editori Riuniti, Roma 1981.

Via de' Magazzini, Vallecchi, Firenze 1942; ora in *Diario sentimentale*.

Le amiche, Vallecchi, Firenze 1943; ora in *Diario sentimentale*.

Il Quartiere, Nuova Biblioteca, Roma-Milano 1944; poi Mondadori, Milano 1961.

Cronaca familiare, Vallecchi, Firenze 1947; poi Mondadori, Milano 1960.

Cronache di poveri amanti, Vallecchi, Firenze 1947; poi Mondadori, Milano 1960.

Mestiere da vagabondo, Mondadori, Milano 1947; ora in *Diario sentimentale*, escluso il primo racconto che dà il titolo al libro.

Un eroe del nostro tempo, Bompiani, Milano 1949; poi Mondadori, Milano 1963.

Le ragazze di Sanfrediano, in «Botteghe oscure», 1949; poi Vallecchi, Firenze 1951; poi Mondadori, Milano 1961.

La domenica della buona gente, radiodramma, in collab. con G.D. Giagni, 1952.

Lungo viaggio di Natale (teatro); da un racconto di *Mestiere da vagabondo*, 1954.

Il mio cuore a Ponte Milvio, Ed. di Cultura Sociale, Roma 1954; ora in *Diario sentimentale*.

Una storia italiana: I. Metello, Vallecchi, Firenze 1955; poi Mondadori, Milano 1960.

Diario sentimentale, Vallecchi, Firenze 1956; poi Mondadori, Milano 1962.

Una storia italiana: II. Lo scialo, Mondadori, Milano 1960; poi nella nuova edizione rielaborata: Mondadori, Milano 1976.

La costanza della ragione, Mondadori, Milano 1963.

Ellis (teatro), in «Questo e altro», 1963.

Una storia italiana: III. Allegoria e Derisione, Mondadori, Milano 1966.

La città ha i miei trent'anni (poesie), Scheiwiller, Milano 1967.

Calendario del '67 (12 poesie), in *Almanacco dello Specchio*, vol. IV, Mondadori, Milano 1975; poi, con altri inediti, Il Catalogo, Salerno 1978.

Il mannello di Natascia (poesie e prose), Il Catalogo, Salerno 1980.

Studi su Vasco Pratolini

Asor Rosa, A., *Vasco Pratolini*, Edizioni Moderne, Roma 1958.

Rosengarten, F., *Vasco Pratolini – "The Development of a Social Novelist"*, Southern Illinois University Press, Carbondale-Edwardsville 1965.

Amendola, N., *Vasco Pratolini*, Resta, Bari 1966.

Luti, G., Introduzione a *Cronaca familiare e pagine d'altri romanzi*, Edizioni Scolastiche Mondadori, Milano 1968.

Betta, N., *Pratolini*, Editrice Innocenti, Trento 1972.

Villa, C., *Invito alla lettura di Pratolini*, Mursia, Milano 1973.

Longobardi, F., *Vasco Pratolini*, Mursia, Milano 1974. 2ª ed. aggiornata, 1984.

Razetti, M., *Come leggere "Metello" di Vasco Pratolini*, Mursia, Milano 1975.

Memmo, F.P., Introduzione a *Metello*, Mondadori, Milano 1976.

—, *Pratolini*, La Nuova Italia, Firenze 1977.

Titone, V., *Vasco Pratolini tra mito e storia*, Vittorietti, Palermo 1981.

Bevilacqua, M., *Il caso Pratolini. Ideologia e romanzo nella letteratura degli anni Cinquanta*, Cappelli, Bologna 1982.

Costantini, A.G., *Apprendimento e arte di Vasco Pratolini*, Longo, Ravenna 1986.

Bertoncini, G., *Vasco Pratolini*, Edizioni dell'Ateneo, Roma 1987.

Vannini, A. (a cura di), *Vasco Pratolini e il cinema*, Edizioni La bottega del cinema in collaborazione con la provincia di Firenze, Firenze 1987.

Luisi, L. (a cura di), *Vasco Pratolini*, Mandese Editore, Taranto 1988.

AA.VV., *Vasco Pratolini. Il narratore e i suoi testi*, Carocci, Roma 1989.

Russo, F., *Vasco Pratolini. Introduzione e guida allo studio dell'opera pratoliniana. Storia e antologia della critica*, Le Monnier, Firenze 1989.

Bartolini, P. (a cura di), *Vasco Pratolini tra cinema e teatro*, Biblioteca comunale "Alessandro Lazzerini", Prato 1992.

Bertoncini, G., *Il romanzo di Pratolini*, Mucchi, Modena 1993.

Jatosti, M. – Memmo, F.P. (a cura di), *Per Vasco*, Grafica Campioli, Monterotondo 1993.

Macrì, O., *Pratolini romanziere di "Una storia italiana"*, Le Lettere, Firenze 1993.

AA.VV., *Convegno internazionale di studi su Vasco Pratolini. Atti*, Edizioni Polistampa, Firenze 1995.

Frollano, E. – Tommasi, R., *Un Pratolini ignorato ("Il mannello di Natascia" o la rivoluzione romantica)*, Shakespeare and Company, Firenze 1995.

Giudizi Pattarino, G., *Ipotesi di lavoro su "Il Quartiere" e Vasco Pratolini*, Le Monnier, Firenze 1995.

AA.VV., *Pratolini e Firenze: Atti del convegno*, Firenze, ottobre 1996, Comune aperto, Firenze 1998.

Memmo, F.P., *Vasco Pratolini: bibliografia 1931-1997*, Giunti, Firenze 1998.

Biondi, M., *Scrittori e miti totalitari: Malaparte, Pratolini, Silone*, Polistampa, Firenze 2002.

—, *Scrittori e identità italiana: D'Annunzio, Campana, Brancati, Pratolini*, Polistampa, Firenze 2004.

Su "Il Quartiere"

Montale, E., in «Il Mondo», 5 maggio 1945.

Falqui, E., in «Il Risorgimento Liberale», 25 settembre 1945 (ora in *Novecento Letterario*, vol. IV, Vallecchi, Firenze 1961).

Anotonielli, S., in «La Rassegna d'Italia», ottobre 1949.

Russi, A., *Gli anni della antialienazione*, Mursia, Milano 1967.

Betta, N., in *Pratolini*, Innocenti, Trento 1972, pp. 36-43.

Villa, C., *Il Quartiere*, in *Invito alla lettura di Pratolini*, Mursia, Milano 1973.

Memmo, F.P., *Pubblico e privato ne "Il Quartiere" e in "Cronaca familiare"*, in *Pratolini*, La Nuova Italia, Firenze 1977.

Bevilacqua, M., *Il caso Pratolini: Ideologia e romanzo nella letteratura degli anni Cinquanta*, Cappelli, Bologna 1982.

Kozma, J.M., *Pratolini's "Il Quartiere": the Metaphor*, in «Romance Quarterly», 29 (1), 1982.

Ricciardi, M., *La scrittura narrativa di Pratolini: Il Quartiere*, in AA.VV., *Vasco Pratolini: Il narratore e i suoi testi*, Carocci, Roma 1989.

Affinati, E., *Pratolini, dal quartiere al mondo*, in «Nuovi Argomenti», n. 38, aprile-giugno 1991.

Cresti, C., *Vasco Pratolini e l'architettura: la città, il quartiere, la strada, la casa*, in AA.VV., Convegno internazionale di studi su Vasco Pratolini, atti, Firenze, 19-21 marzo 1992, Polistampa, Firenze 1995.

Giudizi Pattarino, G., *Ipotesi di lavoro su "Il Quartiere" e Vasco Pratolini*, Le Monnier, Firenze 1995.

Scotto D'Ardino, L., *Se la guerra può darci la ragione dell'umano*, in Casadei, A., *Dire la guerre?*, GERCI, Grenoble 2004.

Il Quartiere

Codesto solo oggi possiamo dirti:
ciò che *non* siamo, ciò che *non* vogliamo.
Montale

I

Noi eravamo contenti del nostro Quartiere. Posto al limite del centro della città, il Quartiere si estendeva fino alle prime case della periferia, là dove cominciava la via Aretina, coi suoi orti e la sua strada ferrata, le prime case borghesi, e i villini. Via Pietrapiana era la strada che tagliava diritto il Quartiere, come sezionandolo fra Santa Croce e l'Arno sulla destra, i Giardini e l'Annunziata sulla sinistra. Ma su questo versante era già un luogo signorile, isolato nel silenzio, gravitante verso San Marco e l'Università, disertato dalla gente popolana che lasciava i figli scavallare sulle proprie strade dai nomi d'angeli, di santi e di mestieri, nomi antichi di famiglie "grasse" del Trecento. Via de' Malcontenti ne era un'arteria e un monito; via dell'Agnolo la suburra, sulla quale immetteva Borgo Allegri ove in un'età lontana un'immagine della Madonna, dipinta da un concittadino immortale, portata in processione, si degnò miracolare in mezzo al popolo, "rallegrandolo".

Panni alle finestre, donne discinte. Ma anche povertà patita con orgoglio, affetti difesi con i denti. Operai, e più propriamente, falegnami, calzolai, maniscalchi, meccanici, mosaicisti. E bettole, botteghe affumicate e lucenti, caffè novecento.

La strada. Firenze. Quartiere di Santa Croce.

Il fanciullo poteva innocentemente contare le sue palline di terracotta, seduto sul gradino della casa di tolleranza, nel

3

vicolo chiamato via Rosa; il popolano orinare senza rimorso al muro sotto la lapide che ricordava la casa abitata da Giacomo Leopardi; la bella ragazza inorgoglirsi di abitare in via delle Pinzochere, ch'era una delle strade più pulite del nostro Quartiere.

Eravamo creature comuni. Ci bastava un gesto per sollevarci collera o amore. La nostra vita scorreva su quelle strade e piazze come nell'alveo di un fiume; la più pensata delle nostre ribellioni era quale un mulinello che ci portasse a fondo. Non per nulla le carceri della città erano nel cuore del nostro Quartiere. Avevamo imparato a fare un viluppo dei nostri affetti, intrecciati l'uno all'altro da privati rancori, da private dedizioni. Eravamo un'isola nel fiume che comunque andava, fra i carrettini del trippaio e dell'ortolano, il bugigattolo del venditore di castagnaccio, lungo via Pietrapiana. Dall'Arco di San Piero a Porta alla Croce.

Si usciva dal lavoro dopo le sei del pomeriggio; e non esisteva vera vita, società vera, calore, se non quando eravamo nelle nostre strade e piazze. A seguitare il Corso, che appunto sboccava all'Arco di San Piero, avremmo trovato la città col suo centro, i bei caffè e le orchestrine; eppure, per fare quei pochi passi, inconsciamente ogni volta, ci preparavamo a qualcosa di estraneo da affrontare. Creature innocenti, confinate per malinconia, abitudine o amore, per qualcosa di più intimo e rissoso, nel nostro Quartiere. Anche coloro che lavoravano nelle fabbriche della periferia, pedalavano veloci sui viali per raggiungere il Quartiere e godere la serata che gli apparteneva.

Lì era trascorsa l'adolescenza. I fratelli minori ripetevano i nostri gesti giocando di spiccioli e di cartine colorate, a pugni ed abbracci, i giochi che avevamo loro insegnato, inventandone di nuovi che ci parevano peggiori. Se passavamo da via del Fico o da via de' Macci, o attorno a piazza Santa Croce in attesa della ragazza, i fratelli minori ci costringevano a lasciargli le biciclette: le montavano infilando la gamba framezzo al telaio, per trovare l'altro pedale.

Le case erano buie, umide e fredde d'inverno. I tavoli dove mangiavamo avevano spacchi verticali di cui ci accorgevamo soltanto le rare volte che scrivevamo una lettera. Ma pulite ed in ordine, le nostre case, curate dalle nostre mamme che avevano i capelli grigi e uno scialle buttato sulle spalle. Nella stanza da pranzo che noi chiamavamo il *salotto*, c'era un divano, con la trina alla spalliera e i mattoni rossi di cinabrese, le fotografie incastrate ai vetri della credenza, una sveglia. Il canto delle sorelle che più a lungo potevamo udire al mattino della domenica, era una cosa allegra che ringiovaniva le stanze, coloriva di parati le mura gialline.

Facevamo poco conto della casa. Nemmeno ci accorgevamo che le lampadine economiche vi spandessero una luce che rendeva impossibile distinguere da un angolo all'altro delle stanze, né lavarci nell'acquaio era un fatto che potesse deluderci. Il nostro lettino, che aveva un crocifisso o un *santo* inchiodato da capo, con un ramoscello d'ulivo per traverso, conosceva le nostre speranze, inseguite contando le crepe del soffitto. Un cassetto del comò ci apparteneva: a cominciare da una certa età ne portavamo in tasca la chiave per serbarvi il segreto di alcune fotografie che ci erano dedicate, di una rivoltella. La casa significava i volti che le sue stanze ospitavano, e noi le volevamo bene per questo.

Nulla sapevamo, non volevamo sapere forse. Ci promettevamo oneste gioie: meritare di più nel lavoro, farci capaci; e avere una ragazza, e poi un'altra magari, e infine sposarne una davvero, coricarsi con lei in un letto più grande, amarla per quanti baci sentivamo di poterle dare.

La nostra vita erano le strade e piazze del Quartiere, fiorentini di antica razza, di "antico pelo" dicevamo scherzando. Si stava agli angoli delle vie, sotto la Volta ove fu trafitto Corso Donati, e ci si stava senza alcun sospetto di tutto questo, "popolo minuto" sempre, fatto ignaro ormai, ciompi da se stessi traditi. Sulle antiche vestigia si illuminava la rosticceria il cui banco spandeva attorno odore di polpette di patate, di coniglio arrostito, di verdura fritta.

La città era al di là di questa nostra repubblica, aveva per noi un senso di archeologia e di eldorado insieme: per parteciparvi occorreva che fossimo rasati e avessimo in dosso i vestiti migliori. Dagli altri Quartieri popolari ci divideva un sentimento impreciso eppur vivo, di rivalità ed emulazione;

ci riunivano per subito dividerci di nuovo, in rissa, l'Arno d'estate e le partite di calcio alla domenica, la tappa del Giro d'Italia.

Dalla soglia del caffè, ove la radio imperversava inascoltata, guardavamo le ragazze passare, parlavamo, entravamo ai biliardi, ci muovevamo verso via Rosa dopo cena, o curiosi di una motocicletta facevamo a turno, col meccanico che la guidava, un giro per i viali di Circonvallazione. Divisi in più gruppi, secondo le amicizie, le affinità, le occasioni.

II

Un giorno Arrigo prese a pugni Carlo perché aveva detto che Maria gli piaceva. Maria era sorella di Arrigo. In quel tempo essa lavorava in una modisteria del centro. Si dava il rossetto sulle labbra togliendoselo con le dita, per le scale, prima di rincasare. Era una fanciulla ormai sbocciata: aveva una voce bassa e calda, parlava come se ad ogni parola attribuisse un peccato. Si era comperata una borsetta che spesso apriva camminando per guardarsi nello specchietto.

«È una vanesia» disse Giorgio. «E per una vanesia non conviene battersi.»

Anche Arrigo sembrò condividere questo giudizio. Poi disse:

«Ma è mia sorella. Sapeste come fa dannare la mamma!»

Eravamo in piazza Beccaria, appena usciti dal cinematografo. Ci riconciliò il giocoliere che presentava al pubblico i suoi cani ammaestrati.

Perché il circolo degli spettatori non si facesse troppo a ridosso (dopo ch'egli aveva richiamato gente esibendosi con un bastone in equilibrio sul naso, e contemporaneamente giocando con degli anelli) roteava sulle persone tutt'intorno una palla di cencio legata all'estremità di un lungo spago. La gente arretrava; noi prendevamo a volo il proietto e glielo strappavamo di mano. L'uomo ci gridava insulti; noi usavamo la palla a mulinello contro di lui. I cagnolini, con gli occhietti spersi fra il pelame, si alzavano sulle zampe di dietro abbaiando. La gente, divertita, ci proteggeva. Il giocoliere era un uomo anziano, col volto macilento, una voce da eunuco: implorava, quasi disperato.

«Sempre i soliti» diceva. «Mascalzoni! Mi rovinate il pane!»

La gente rideva. Quando ci eravamo stancati del gioco, gli restituivamo la palla e lo spago. Egli dava inizio alla rappresentazione. Vestiva i cani da pagliaccetti, poi da maghi, mettendo loro in testa, fissato sotto la gola da un elastico, un cono trapunto di stelle. Le bestiole facevano piroette, saltavano dentro il cerchio, camminavano fra le gambe del padrone mentre questi simulava di andarsene indifferente a passeggio. Infine il cane Lolli prendeva in bocca un piatto d'ottone e faceva il giro fra gli spettatori che gli regalavano delle monete.

Pensavamo cosa fare dopo ciò. Gino volle restare per vedere il film ancora una volta; e siccome anche Giorgio ci lasciò perché sua madre aveva bisogno di lui, eravamo rimasti i due avversari pacificati ed io. Parlammo del film, progettammo per la domenica successiva una gita sulle colline, così andando verso San Piero, fermandoci alcuni minuti alla mostra del fioraio ov'era esposta in primo piano, dentro un vaso, una pianticella fiorita che non conoscevamo.

Passò Luciana assieme ad un'amica. Si tenevano a braccetto, e ridevano, eccitate. Esse non ci videro. Noi scorgemmo due giovani in pantaloni lunghi che le seguivano. I miei compagni sapevano che io ero innamorato di Luciana. Ebbi un colpo al petto, umiliato dei miei calzoni corti, del mio volto quindicenne con appena la peluria nera sulle labbra. Dovetti accendermi in volto.

Carlo era il più cattivo fra noi, o soltanto il più triste, come dirò. Il suo precoce cinismo era di costante incoraggiamento alla mia timidezza. Accennò a Luciana. Mi disse:

«Ti tradisce, eh?»

Io mi offesi: il tono della sua voce era maligno; i suoi occhi erano gialli, quasi di gatto. A bocca chiusa irrideva il mio rossore, guardandomi. Risposi:

«Perché? Non sono mica il suo padrone. Lei nemmeno lo sa che io...» Volevo aggiungere: le voglio bene; ma non ci riuscii.

Il cuore mi batteva. Mi ero voltato verso la mostra dei fiori; appannavo il vetro col mio fiato, o forse gli occhi mi si velarono di lacrime. Arrigo mi tirò per un braccio.

«Andiamo» disse. Aggiunse: «Debbo avere ancora una sigaretta. La vuoi?».

Accettavo la sigaretta, quando Carlo me la tolse di mano. Disse:

«Fesso che sei. Seguila. Fermala prima di loro, altrimenti te la rubano.»

Arrigo disse:

«Certo, può essere il momento buono.»

Mi costrinsero a muovermi, a seguire le fanciulle e i due corteggiatori che gli si avvicinavano. Il cuore mi batteva forte; ero accaldato e stanco come dopo una lunga corsa. Mi ravviai il ciuffo sulla fronte.

Luciana e l'amica (una certa Marisa, la conoscevo, abitava verso il Madonnone; sapevo che aveva avuto diversi fidanzati) avevano raggiunto Porta alla Croce, si salutarono. L'amica prese per via Aretina; Luciana imboccò il viale per tornare verso casa. Anche i due giovanotti si separarono, parve d'intesa, seguendo ciascuno la fanciulla designata.

Luciana camminava sul Viale, rasente gli alberi, come evitando di proposito il marciapiede. Era ormai sera e la sua figurina entrava e usciva dai cerchi di luce dei fanali. Pensai di mettermi a correre, di superare il giovanotto, ed incamminarmi con lei; ma così facendo temevo di dispiacerle, di perdere anche la sua amicizia. Il sudore mi gelava sulla fronte, quasi mi cogliesse una improvvisa sfinitezza: e il vento lieve del Viale mi metteva freddo. Costeggiavo il muro dello Sferisterio, sul marciapiede; mi giungevano colpi di tamburello, grida. Passò un tram stridendo alla voltata di via dell'Agnolo.

Il giovinotto aveva raggiunto Luciana, le camminava al fianco. Avrei voluto fuggire, ma temevo che gli amici mi seguissero; mi proibivo di voltarmi e ricevere l'umiliazione di vederli maggiormente irridere alla mia sconfitta. La fanciulla e il giovanotto camminavano adesso più adagio; distinguevo ch'egli fumava. Proseguirono per il Viale fino sul Lungarno. Io li spiavo nascosto dietro la Torre della Zecca, frenando un singhiozzo. Un camion me li tolse dalla vista arrestandosi proprio di fronte: ne scese l'autista che armeggiò attorno al cofano.

Stavo per spostarmi sull'altro lato della Torre, allorché una mano mi agguantò alla spalla, mi voltò di violenza e due schiaffi mi percossero le guance. Dinanzi a me c'era il giocoliere, diabolico sembrava, feroce. La sua voce di eunuco disse:

«Ripròvati, domani.»

Aveva a tracolla la cassetta con l'armamentario per il suo spettacolo. Abbassai gli occhi per riprendermi dallo smarrimento, senza volontà alcuna di reagire. I cagnolini mi guardarono col musetto alzato, nemici anche essi.

III

Abitavo al secondo piano di via de' Pepi 25, nella casa d'angolo con via dell'Ulivo. Su questa strada guardavano le finestre della cucina e del salotto; vi saliva odore di stallaggio, e nella notte scalpitare di cavalli. Al mattino le carrozze erano in fila lungo il marciapiede. Fra uno sbattere di secchi e uno scrosciar d'acqua, il bacalaro Egisto le nettava del fango e della polvere. Se mi affacciavo, Egisto mi diceva: «Nano, dormi eh? Beato te!». Egli era piccolo e tozzo, la testa grossa, la faccia avvinazzata, o perpetuamente infreddolita si sarebbe detto. Aveva sul mento un neo che arricciava fra le dita come un baffo. I fiaccherai facevano capannello sulla porta dello stallaggio: avevano voci chiocce, catarro. Passava il venditore di pane fresco: «Semellaio!» gridando, con la gerla sotto il braccio. Lo precedeva il ronzio della segheria che sarebbe durato tutta la giornata. Poi arrivava la prima diligenza del suburbio, ne scendevano i contadini e i fattori, le massaie che venivano in città per i corredi. Se primavera, fasci di mimose stipavano l'imperiale. Io ero già fuori casa.

Uscivo con mio padre che aveva trovato da impiegarmi come apprendista nell'officina dove lavorava. Mi metteva in canna e così andavamo. Egli beveva una grappa al *Bar San Piero*; mi faceva prendere il caffè e latte nel quale inzuppavo il pane che la nonna non dimenticava di ripormi in tasca della blusa. Stretto sotto l'ascella, tenevo il pacchetto della colazione per mio padre e per me. Si imboccava Borgo Pinti, entrambi sulla bicicletta; sui viali ci ingruppavamo con gli altri operai ciclisti. Spesso ero ancora insonnolito, e le mani mi si aggricciavano dal freddo sul manubrio.

A volte incontravamo Maria, per via dell'Orivolo. Le passavamo avanti mentre si guardava nello specchietto o era al braccio di un giovanotto sconosciuto. Mio padre diceva:

«Ti fai portar via le ragazze del casamento!»

Mi dava uno scapaccione sulla nuca, ridendo. Io dicevo a mio padre:

«Tu fammi i pantaloni lunghi e poi vedrai.»

«Coglione! Non sono i pantaloni lunghi che contano» rispondeva. «Piuttosto sta' attento. Ci viene incontro il tram e non mi dici nulla.» Sterzava bruscamente, allegro. Io ero amico di mio padre.

Maria e Arrigo abitavano il piano soprastante al mio. Loro due ragazzi, come me, dormivano nel salotto su due brande disposte alla sera ai lati del tavolo. D'estate, siccome tenevamo le finestre aperte (di notte c'era afa, aria ferma e puzza di stallaggio) udivo Maria parlare nel sonno; non distinguevo cosa. Sentivo Arrigo gridare: «Chètati». Poi la voce della loro mamma, dalla camera accanto, diceva: «Dormite».

Ogni tanto l'orologio a pendolo batteva le ore nella loro casa. Se stavo alla finestra a guardare le stelle, e a contarle, come mi piaceva, percepivo Maria agitarsi nel letto ad ogni battere di ore. Ma non me ne innamoravo perché sarebbe dispiaciuto ad Arrigo; anche perché mi pareva che Maria fosse troppo grande per me; viveva ormai in una dimensione diversa dalla mia, con il rossetto sulle labbra, la borsetta e un giovanotto al fianco. Mi eccitava sentirla agitarsi nella notte. "Qualche giovanotto l'avrà certamente abbracciata" mi dicevo. E allora mi ronzava alle orecchie la sua voce; mi ricordavo del suo gesto di guardarsi nello specchietto, del suo stringersi sotto il petto la cintura del cappotto, del suo corpo così disegnato.

Maria fu per diverso tempo il mio peccato. Fantasticavo attorno a lei; ma quando le ero vicino ne avevo ripugnanza. Luciana era il mio pezzo di pane, l'acqua di fontana che dovevo prepararmi a difendere.

Giusto in quell'inverno 1932, Maria dette modo di parlare nelle nostre strade. Sulle soglie delle case le madri si portavano le mani alla fronte, proibivano alle figlie di rivolgerle il saluto. Il bacalaro cantava con intenzione, passando la spugna intrisa sui mozzi delle carrozze:

E con lo zigo-zigo-zago,
morettino vago
tu le hai rotto l'ago,
tu la fai morire,
dalla passione.

La madre di Maria aperse la finestra, una mattina, gli rovesciò una catinella d'acqua gridando: «Disgraziato!». Aveva il pianto in gola. Passi andarono su e giù tra camera e salotto, tutta la giornata, nel piano soprastante. Grida e pianti. Nemmeno Arrigo uscì di casa per alcuni giorni. Le donne, per le scale, sulle soglie, nelle botteghe del fornaio e del pizzicagnolo dicevano:

«Finisce sempre così quando manca un uomo in famiglia.»

«Colpa della madre. Doveva badarci per tempo invece di chiudere la stalla quando i buoi sono scappati.»

«Com'è stato?» chiedeva la fornaia. E più voci le rispondevano. La mano sulla fronte, le donne sfogarono dapprima la loro superstizione.

«Il cappellino nuovo, cominciò così, e la ragazza disse che glielo faceva portare la padrona per reclame. Alla fine è mancata di casa tutto un giorno e tutta una notte.»

Gesummaria e mammasanta, il primo istinto è codino nel nostro Quartiere. Poi qualcuna delle donne bussò a quella porta, pianse assieme alla madre. Non fu più curiosità, scandalo neppure. Le più bigotte uscivano dicendo: «Ma se è stata in modisteria tutta la nottata! Uno straordinario, cosa c'è di anormale?». Lo dicevano scotendo la testa, incerte, ma dando sulla voce a chi sorrideva.

Durante la cena mio padre disse:

«Ora, Nano, sotto. Il più è fatto». Rideva. La nonna gli batté un cucchiaio sulle mani, adirata.

«Vergognoso» gli disse.

Era una sera d'inverno. Stavo seduto al tavolo, mangiando, con una mano fra le gambe, infreddolito. I geloni mi dolevano. Il babbo si era messo sulle spalle, come al solito, una mantellina da soldato; col cappello in testa, mangiava la zuppa di cavolo nero. La nonna disse:

«Come li abbiamo educati questi ragazzi? Sempre sulla strada. La colpa è nostra.»

Il babbo si era zittito; succhiava la minestra. Disse:

«Certo, suo padre non se lo sarebbe meritato.»

Bussarono. Alla nonna che aperse, Giorgio chiese:

«C'è Valerio?»

Entrò. Da qualche settimana non ci vedevamo. Egli era andato da un suo parente contadino per aiutarlo nella raccolta delle castagne. Mi parve cresciuto. Era veramente il più grande fra noi, diciassette anni. Aveva gli occhi celesti e le basette bionde, ricciuta di biondi capelli la testa. Quella sera indossava un cappotto corto sopra il ginocchio, coi pantaloni alla zuava e i calzettoni.

«Ho portato un po' di castagne» disse.

Il babbo gli offrì da bere. Giorgio si sedette al tavolo. Era serio in volto, preoccupato. Siccome ci fu un attimo di silenzio, ci pervennero dal piano di sopra passi di più persone. Giorgio chiese: «Come va su?».

«Eh, sai» fece il babbo.

«Arrigo non l'ho più visto» dissi io. «Sono andato per cercarlo ma non mi hanno aperto. Ho sentito Arrigo che diceva: "Non gli aprite. Che figura!".»

Giorgio disse:

«L'ho saputo dianzi tornando a casa. Forse non c'è nulla di vero.»

Il babbo sorrise. Bevve il vino che gli era rimasto nel bicchiere, schioccò la lingua. Disse:

«Con tutti quei merli che aveva intorno! Ve la siete lasciata scappare.»

La nonna sparecchiava la tavola.

«La vuoi smettere, vergognoso» gli disse.

«Macché» aggiunse il babbo. «Non c'è niente di vero. È

stata quarantotto ore a fare i cappellini.» Poi disse: «Io non so perché voi ragazzi ve la prendiate tanto. Ai miei tempi, quando uno era innamorato, non aspettava che un estraneo gli facesse la finestra sul tetto. Specie uno di un altro Quartiere».

«Che c'entra?» dissi io.

Ma ero confuso. Guardavo Giorgio che non avevo visto mai tanto serio come in quel momento. Egli si alzò. Disse:

«Siccome ho portato delle castagne anche per loro, devo salire su.»

Ci salutò. Il babbo gli disse:

«Coraggio Giorgio! Ce ne sono tante di ragazze a questo mondo.»

Mai mi ero accorto che Giorgio fosse innamorato di Maria. Per la prima volta intuivo che gli uomini portano con sé dei segreti, che dentro il cuore di ciascun uomo ci può essere qualcosa che nemmeno il più caro amico conosce e che colui tiene celato dietro la maschera della faccia, più dentro di dove esce la voce. Mi sentii meschino dopo questa considerazione. Appoggiai i gomiti sulla tavola. Con la testa fra le mani cercai in me un segreto mai partecipato, ma non c'era in me un segreto che Giorgio o Arrigo o Gino non sapessero. Immaginai la mia anima come un pozzo di cui si vedesse il fondo asciutto. Quasi piangevo. Mio padre disse:

«Hai sonno, via.»

«No» risposi. E aggiunsi: «Dimmi, babbo. Tu hai dei segreti?».

«Tutti abbiamo dei segreti. Ossia non segreti, speranze.»

«E la tua speranza qual è?»

«Se te la dicessi non sarebbe più un segreto. Perché? Tu non hai nemmeno un segreto? Nemmeno una speranza tutta per te?»

La nonna rientrava dalla cucina dopo aver rigovernato. Asciugandosi le mani al grembiule, prendendo lo scaldino posato sulla sedia, rivolta al babbo disse:

«Mettigli in testa di avere dei segreti.» E a me: «Su a letto, si consuma la luce».

Il babbo si alzò, disse:

«Io esco.»

«Ecco la speranza» disse la nonna. «È nel vino, la tua speranza. Qui a due passi.»

«Forse» rispose il babbo. «E un po' più in là anche.»

IV

Mi raccontava anni dopo Maria che quando Giorgio ci lasciò, salì l'altra rampa di scale, bussò alla sua porta. Gli aperse una donna del primo piano, a nome Argia, che aveva in collo il proprio bambino addormentato.

«È Giorgio» essa disse. Lo fece entrare. Nel salotto c'erano Arrigo seduto al tavolo, Maria sulla branda. Vedendo Giorgio, Maria si ravviò i capelli con la mano, si passò un dito sotto gli occhi. Fu la prima a salutarlo.

«Ho portato le castagne, se le accettate.»

Arrigo non gli rispose. Aveva abbassato il capo sul tavolo; si soffiava dentro le mani. Maria disse:

«Grazie. Ti sei ricordato della promessa.»

Dalla camera si udì una voce di vecchia. Argia disse:

«La mamma è a letto. Le è venuta una mancanza. Siccome soffre di cuore.»

«Ho capito» rispose Giorgio.

Guardava attorno nella stanza. I suoi occhi erano duri, celesti e fermi come pietre fredde e celesti. Aveva posato il sacchetto delle castagne sul tavolo. Disse:

«Beh, Arrigo, che c'è? Ho portato le castagne.»

«Ah, sì, grazie» gli rispose Arrigo.

Sfuggiva lo sguardo dell'amico. Si era alzato, e come per improvvisa decisione, che fu un modo lampante di farsi coraggio, si volse verso la sorella che era ancora sulla branda seduta, gridò:

«Vedi cosa c'è Giorgio? C'è che tu avevi ragione. Ma non è soltanto una vanesia, è una puttana.»

La ragazza era rimasta immobile, appena battendo un attimo le palpebre. A ciglio asciutto, con una specie di rancore nello sguardo, e nella voce un tono di ironica persuasione, esclamò:

«Va bene!»

Dalla soglia della camera apparve una vecchietta in scialle e occhiali, disse come un dolce rimprovero:

«Basta, ragazzi, per amor di Dio. Sta male.»

Arrigo era tornato a sedere, aveva reclinato la testa fra le braccia posate sul tavolo, forse piangeva. Allora Giorgio lo scrollò dalle spalle, lo fece alzare di nuovo:

«Vieni qui con me. Anche te» disse a Maria.

Li prese per mano quasi trascinandoli nella camera ove la madre era supina ed esangue dentro il letto: essa respirava aspramente nella stanza fredda, le uscivano dalle labbra socchiuse nuvolette di fiato. I ragazzi si avvicinarono al letto. Quando a Giorgio sembrò che la malata lo avesse riconosciuto, ad alta voce, scandendo le parole, le disse:

«Sono Giorgio. Maria l'altra notte è stata con me. Io sono il suo fidanzato. È una ragazzata che lei ci perdonerà. Ci fidanzeremo in casa, lo sa già anche mia madre. Ci sposeremo.»

La malata guardava Giorgio attentamente. Aveva un volto ingiallito di donna troppo presto invecchiata. I suoi capelli neri si spandevano sul guanciale, acciaccati sulla fronte ch'era imperlata di un freddo sudore. Non parlò, parve tentare di farlo senza riuscirvi. Guardava Giorgio ad occhi spalancati. Si capiva dal suo sguardo che non perdeva una sola parola di ciò ch'egli diceva. Con fatica riuscì a sollevare un braccio, toccò la mano di Giorgio e quella di Maria. Gli occhi piano piano le si inumidirono di pianto, poi le lacrime scesero tranquille sulla sua faccia scarnita.

La vecchia in scialle fu al capezzale. Rincalzò le coperte sotto la gola della malata. Disse:

«Ha visto? Tutto si è risolto bene. Giorgio è un bravo ragazzo. Lo conoscono tutti nel Quartiere.»

Dalla soglia, col bambino in braccio addormentato, Argia commentò:

«È un bravo ragazzo davvero.»

Giorgio la interruppe dicendo:

«Non è il momento dei complimenti. Del resto, non ho fatto che il mio dovere. Baderemo noi alla mamma. Andate pure, e grazie.»

Le due donne lasciarono la camera. La vecchia prima di uscire disse:

«Il medico torna domattina. Si è raccomandato di non farle mancare lo strofanto.»

Ora la malata si era assopita. I tre ragazzi la lasciarono sola nella camera per tornare in salotto. Si guardavano l'un l'altro, in silenzio, ciascuno con un suo proposito dentro, o una parola. Allorché Arrigo crollò sulla branda, singhiozzando, battendo i pugni sul materasso, mordendo le coperte per soffocare le proprie grida.

«Perché l'hai fatto? Noi sappiamo bene che non è vero.»

Giorgio si sedette sulla branda; carezzandolo e insieme autoritario:

«Non fare tragedie» gli disse. «Non essere più ragazzo. Calmati e poi ne parliamo.»

Maria era ritta vicino al tavolo, guardava la propria immagine riflessa nello specchio della credenza. Una serena certezza nasceva in lei. Come sciogliendosi dalle funi che sembravano averla stretta in quei giorni, risentiva libere le sue membra; disposta a Giorgio con un sentimento spontaneo sorgente dal profondo, una sensazione di tepido e d'inerzia come quando al mattino ci si stende supini dopo un sonno agitato. Guardava i capelli di Giorgio e avrebbe voluto odorarli. Aperse distrattamente il sacchetto delle castagne, ne prese una e l'addentò, distratta e oziosa in quel gesto quanto la sua mente era indecisa a un ragionamento e le sue membra sciolte ed in offerta.

Arrigo si era calmato; soltanto rari singhiozzi lo agitavano. Cadeva nel sonno con un abbandono di fanciullo affaticato.

«Spengi la luce» disse Giorgio. «Si è addormentato.»

Maria ubbidì. Egli ricoprì l'amico con una coperta, tolse lentamente la mano che gli teneva sotto la testa, facendo un verso con la lingua per ninnarlo.

V

Era una sera d'inverno, febbraio forse. I fiaccherai rimettevano le carrozze nello stallaggio. Ci fu per la strada un bru-
sìo causato dalla gente che lasciava il cinema "Roma" dall'u-
scita di via dell'Ulivo, dopo l'ultimo spettacolo. Ed era una
bella notte di luna, con tante stelle in cielo, che in una diversa stagione avrei contato.

Il nostro Quartiere si spopolava; chiudevano le osterie e i
bar. Anche mio padre era rientrato. «Dormi Nano» mi aveva
detto. «Sogna la speranza.» E al *Bar San Piero* le sedie erano
già sui tavoli; gli ultimi avventori prendevano in piedi un
"cappuccino"; il biscazziere sollecitava battendo le mani i ca-
parbi giocatori di biliardo e di ramino. L'uscio della casa di
via Rosa si apriva e richiudeva alle spalle dei clienti ritarda-
tari che scendevano dalle camere. «Ciao Morino, sognami.»
Qualche finestra su via de' Pepi si apriva di tanto in tanto,
per un involto d'immondizia da far volare sulla strada. La
fontanella di piazza Santa Croce aveva ora tutto per sé il silenzio sotto la luna. Appena oltre, fra le arcate del ponte alle
Grazie, l'Arno scorreva spumoso per il rigurgito della pescaia.

I passanti erano veloci e freddolosi sulle strade e piazze
del nostro Quartiere. Era l'ora in cui anche qualcuno dei nostri prendeva confidenza con la città, per bere ancora una
grappa ai caffè del centro aperti tutta la notte. Dietro le finestre illuminate dalla luna, la nostra povertà diventava davve-

ro un segreto inconfessato, una speranza da custodire fino al giorno in cui avessimo conquistata la ragione.

«Vieni verso la finestra, voglio vederti in faccia» disse Giorgio a bassa voce. «Porta la sedia, parliamo un po' tu ed io.»

Maria gli si accostò, docile. Una canzone le nasceva in gola e avrebbe voluto cantare, faceva uno sforzo per trattenersi.

«Non maltrattarmi anche tu, Giorgio.»

Si sedettero vicini, sulle sedie. Egli le prese le mani fra le sue, che erano calde e rosse di geloni.

«Hai freddo?» le chiese.

«No» essa disse. E tacque.

«Non sai cosa voglio dirti?»

«Forse. Ma è bene che tu lo dica. È bene che tu mi chieda cosa ho fatto un giorno e una notte fuori casa.»

«Posso immaginarmelo facilmente. Ma non è questo. Voglio sapere perché sei tornata.»

«È un rimprovero che non mi aspettavo.»

«Non è un rimprovero, Maria, è una domanda.»

«Ora forse piangerò Giorgio, e un minuto fa avevo voglia di cantare.»

«Nessuna delle due cose devi fare. Devi rispondere alla mia domanda.»

Essa strinse i pugni fra le mani di lui che li tenevano chiusi come dentro un globo di carne rossa e calda.

«È nulla Giorgio se te lo dico. Pensavo di tornare a casa la sera, una scusa avrebbe salvato tutto. Invece mi sono addormentata. Lui mi ha lasciata dando l'ordine che non mi svegliassero. Forse ha creduto di usarmi una gentilezza.»

Egli alzò quasi la voce, ansimando. Le strinse i polsi, come per calmarsi.

«Così sciupi tutto di te. Ti addormenti e sciupi tutto. Ti facevo stasera un altro sentimento. Guarda che bella notte, Maria. C'è silenzio, loro riposano, Arrigo e tua madre; scalpitano i cavalli giù abbasso. Tutto è tranquillo. Era così anche l'altra notte e tu non c'eri.»

Tacquero; ed egli le aveva ripreso le mani fra le sue.

«Mi ami ancora, Giorgio?»

«Sì, e tutto può ricominciare come prima, come un anno fa. Dicono che siamo ancora ragazzi.»

«Perché ti ho rifiutato sempre? Sei bello, io lo so. Ma poi... È volgare, tu dici. Tu dici che sono cresciuta troppo presto.»

«Troppo male, non troppo presto.»

«Parla piano» essa disse. Si era sciolta dalla stretta ai polsi ed era lei adesso che gli aveva preso una mano sulle ginocchia e gliela carezzava. «Davvero mi vuoi ancora?»

«L'hai visto. Non sono stato generoso, sono stato egoista soltanto. Speravo che tu avessi sentimenti diversi stasera, finalmente.»

«Anch'io ti voglio bene in questo momento, con la luna e loro che dormono. Ma domani, e dopo? Tu mi piaci, ma è come se in certe ore non mi bastassi.»

Un cavallo nitrì, nello stallaggio, Arrigo mugolava nel sonno. E fuori era una notte di luna, inverno nel nostro Quartiere. Egli disse:

«Penso ad Arrigo, ai nostri amici del Quartiere. Non è che noi li abbiamo lasciati indietro, come ci diciamo. Noi non siamo cresciuti né troppo presto né male. Forse siamo malati e bisogna farsi visitare. Io voglio diventare un uomo come gli altri.»

«Fai tardi» essa disse, isolata in un suo pensiero.

«Ho la chiave» rispose Giorgio. «Vorrei ricordare stasera com'è che siamo cresciuti tu ed io così diversi dagli altri.»

Essa gli si era posata sulle ginocchia, gli odorava i capelli. Lo baciò sul collo.

«Macché, Giorgio!» essa disse. «Siamo soltanto molto giovani, non ti pare?» Gli mordeva il lobo dell'orecchio.

Egli tacque. Guardò fuori della finestra, oltre i vetri bianchi di luna, lo sporco muro della casa dirimpetto, ove una finestra era rattoppata con un cartone. Essa gli soffiava nell'orecchio il proprio fiato caldo, eccitata. Egli dovette fare forza a se stesso per non sottostare al desiderio che lo assaliva. Si sciolse dall'abbraccio. La fece alzare in piedi, alzandosi a sua volta.

«Sarebbe molto bello, Maria. C'è la tua branda rifatta, lo so. Ma è troppo facile, cerca di capirmi.»

Essa ebbe un moto da offesa. Disse:

«Tanto ora siamo fidanzati, nevvero?»

Egli sollevò le sedie per non far rumore, una per mano contemporaneamente. Le depose vicino al tavolo.

«Ti lascio, Maria» le disse. «Tu veglia la mamma. Speriamo che domani sia guarita.»

VI

Un giovedì sera mio padre convenne che avevo ragione: ora che entravo nei sedici anni, e tutti i miei amici erano coi ginocchi coperti, anch'io avrei dovuto vestire da uomo. Mio padre lo fece seguendo un ragionamento della giungla: egli pensò che nella mia compagnia potevo essere messo sotto i piedi, sembrando ancora un ragazzo coi ginocchi scoperti. Scelse fra i suoi vestiti il meno liso, convinse la nonna di adattarlo a mio dosso.

Uscii la domenica col vestito nuovo. Ero un ragazzo vanesio, privo di segreti. Salutai Egisto senza riuscire ad attirare la sua attenzione. Al *Bar San Piero* presi l'aperitivo, sbottonando apposta il cappotto per frugare nella tasca dei pantaloni: la padrona mi restituì il resto dalla cassa, trattandomi con la naturalezza del giorno prima. «Tieni, Nini» mi disse.

Passai su e giù per via de' Conciatori dove abitava Luciana con la speranza di incontrarla. I laboratori avevano le porte spalancate, esalava un forte odore di pellami: si intravedevano i pavimenti lucidi d'acqua; qualche lavorante vi passava con gli zoccoli ai piedi, in maniche di camicia. Un carretto di ortolano era all'angolo di via de' Macci, ed attorno v'erano donne che parlavano ad alta voce, gesticolando. Dei ragazzi accoccolati sul marciapiede erano intenti a rimuovere un tombino.

Mi sentii chiamare alle spalle da Marisa. Essa aveva i risvolti di pelliccia sul cappotto; un fermaglio celeste infilato nei capelli sulla tempia, luccicava.

«Ti sei deciso» mi disse. «E stai bene eccome! Ti sei dato anche la brillantina. Luciana sarà contenta.»

Dovetti arrossire. Marisa mi parve una signorina incipriata, allegra, che ostentava un continuo sorriso, coi bei denti bianchi. Avrei potuto innamorarmene e tenere dentro di me questo segreto. Aveva occhi di malizia; mi toccava le braccia parlando.

«Aspettaci a San Giuseppe fra mezz'ora» disse. Bussò tre volte al battente del portone di Luciana, si inoltrò per le scale buie.

Avevo comperato delle sigarette. Fumavo, e loro giunsero. Le vidi appena sbucarono da via delle Casine. Marisa agitò la mano verso di me: aveva guanti celesti. Accanto a lei era Luciana. Ci salutammo. Luciana sorrideva, inclinando un po' la testa come per schermirsi da quel che avrei potuto dirle, o forse lo faceva per la spera di sole che riverberava dal rosone della Chiesa.

Luciana aveva una figurina adolescente, quattordici anni, un viso ancora di bambina, due occhi chiari ed attenti: sembrava in continuo sospetto che qualcosa potesse sfuggirle dei gesti e delle parole di chi le era vicino. Mi dicevo che era bella come un micino appena nato, tutta bianca con gli occhi chiari, i capelli divisi sulla fronte, stretti in due trecce che le ricadevano al di sotto degli omeri. Finse di non sapere che l'aspettavo. Mi chiese subito di Maria, si accese agli zigomi; nel tono della sua domanda v'era una spregiudicatezza volontaria che lottava col suo istintivo pudore. Io avevo i pantaloni lunghi, quel giorno, e la volontà di superare con un fatto la mia passività, conquistandomi un segreto.

Arditamente presi a braccetto le due amiche, mettendomi in mezzo a loro. Le condussi sul Lungarno. Così parlammo di Maria e di Giorgio che si erano fidanzati. Marisa disse:

«Avrà voglia Giorgio di sentirsi pesare la testa!»

Luciana si risentì difendendo Maria. Eravamo sul Lungarno dalla parte della Caserma. Alle inferriate del sottosuolo, ritti in piedi sulle mangiatoie, sopra le teste dei cavalli, erano aggrappati i soldati delle scuderie: facevano complimenti alle ragazze che passavano, con frasi che strappavano un sorriso.

Raggiungemmo la spalletta del fiume all'altezza della pescaia, e per un po' di tempo tacemmo, osservando la cascata d'acqua che si frangeva in grossi cavalloni. Gente vestita a festa passeggiava di qua e di là dei lungarni. I Colli erano toccati da una tersa luce: spiccava San Miniato nella cornice dei cipressi, alti e distanti. Marisa si era tolta i guanti, di sorpresa mi toccò sul collo facendomi sussultare.

«Hai sentito come sono diaccia?»

Rideva e i suoi denti erano bianchi, belli come piccole zanne. Avrei voluto essere solo con Luciana («Deciditi a dichiararti» mi aveva suggerito Carlo, «se no, un giorno o l'altro qualcuno te la ruba e per riaverla ti toccherà fare come Giorgio, che si è messo ai piedi le scarpe usate») eppure che ci fosse Marisa non mi dispiaceva. Essa era come una cosa che dava agio ad averla vicino. A momenti diventava Luciana l'estranea, chiusa e astratta nella sua riservatezza, a occhi spalancati.

Coi gomiti appoggiati alla spalletta, guardavamo il fiume scivolare come un limpido nastro lungo la pescaia, e accendersi d'improvvisa collera spumosa, placarsi di nuovo nel suo verde colore oltre il Ponte alle Grazie. Marisa teneva lei me, adesso. Aveva intrecciato le mani traverso il mio braccio. Abbassando il volto e sollevandolo verso di noi, così rannicchiata al mio fianco, ove la sentivo premere, mi chiese:

«Non hai proprio nulla da dire a Luciana? Coraggio! Lei si strugge da un'eternità che tu le parli.» Rise, aggiunse: «Si accompagnò apposta con quel tale, per farti ingelosire».

Entrambi, Luciana ed io, arrossimmo. Per un attimo i nostri sguardi s'incontrarono. Ma quel battito di palpebra contro palpebra che avemmo contemporaneamente, invece di scioglierci in un gesto d'amore ci rese più impacciati che mai, e quasi avversi. Poi essa voltò le spalle e prese a correre. Era possibile, vedendola alle spalle, in quella sua corsa improvvisa, distinguere un segno, non so quale, delle lacrime che dovettero sgorgare dai suoi occhi.

Io fui dapprima indeciso. Marisa si era sciolta dal mio braccio, indugiando per un secondo con la mano nella mia. La trascinai con me ad inseguire Luciana. La chiamammo, ma essa non si girò; sempre correndo la inseguimmo fino sul sagrato della Chiesa ove si era rifugiata. Marisa aveva detto: «Cretina!».

Fu viltà non aspettare Luciana all'uscita della messa e non dichiararle il mio amore, ora che sapevo che anche lei mi amava; fu viltà fissare un appuntamento con Marisa per il pomeriggio. Lo dicevo a Carlo e a Gino un'ora dopo, sulle panchine di piazza Santa Croce.

Gino fu al solito distratto ed evasivo su quest'argomento; io ero già pentito di non essermi tenuto il segreto. Ed avevo coperto i ginocchi inutilmente. Carlo affermò che le donne vanno trattate male. «Sono tutte puttane» disse. Minacciò di picchiarmi se non fossi riuscito ad avere Marisa quel pomeriggio. Volle prendessimo una bicicletta a noleggio per mezz'ora: mi condusse sui Colli, al Giramontino. Passo passo, lasciate le biciclette sul ciglio della strada, mi insegnò fra i prati, per sentieri, una grotta naturale occultata fra i cespugli, ove sarei potuto stare indisturbato con Marisa. C'era un'ansia particolare nella sua voce, un'agitazione quasi bestiale nel suo sguardo. I suoi occhi erano gialli e sinistri, sotto il ciuffo incolto che li sfiorava.

«Ricordati questa macchia di ginestre. Poi a sinistra del cipresso nano. Al bivio del sentiero prendi a destra. Rammentati di questo falò incenerito.»

Rimise a posto le frasche che celavano l'entrata della grotta.

«Ci si sta comodi sdraiati» disse. «Basta tu allarghi la paglia che c'è dentro, se vuoi essere gentile. Se poi non combini nulla ti sfilo.»

Pronunciò queste parole quasi con rabbia, come se tremasse dentro e facesse sforzi per non manifestare la sua agitazione. Dapprima ebbi timore. Il suo modo di agire risoluto contrastava con l'incertezza rabbiosa delle sue parole, come gridate nella strozza. Mi pareva di subire una violenza. Eppure Carlo stava dandomi una prova di amicizia della quale dovevo essergli grato.

VII

Se io vi parlo di vizio, di cose brutali e immonde nel nostro Quartiere, voi che dite? Eravamo povera gente. I padri spesso indugiavano all'osteria: qualcuno è stanco del banco d'operaio e come ultima fatica si costruisce un grimaldello. È logico che anche Maria si prostituisca per un letto di piume e vi resti addormentata: è pure vero che suo padre morì di coltello per una rissa a proposito di un "settebello". Le nostre strade puzzano se ci passate: puzza di concia e di stallaggio. Al pianterreno del casamento dove abita Carlo, una fattucchiera predice fortune e amori disgraziati alle nostre ragazze: ha un pappagallo dietro la grata. Vi entrano anche uomini furtivi per quelle scale: le vecchie alzano il pugno e pronunciano ingiurie verso la finestra della casa di Carlo, compiangendo la piccola Olga, sua sorella, che ha una faccina di bambola e dentini piccoli e fitti.

Se io vi parlo di vizio, voi dite che ciò è naturale nelle nostre strade. Ma entrate nelle nostre case, nell'anno di grazia 1932, dopo tanta letteratura che se n'è fatta; vestite i nostri panni; ingoiate la miseria che ci assiste notte e giorno, e ci brucia come un lento fuoco o la tisi. Resistiamo da secoli, intatti e schivi. Un uomo cade, una donna precipita, ma erano secoli che resistevano, eternità che stavano in piedi con la forza della disperazione di una speranza – e questa gli è venuta meno dentro il cuore tutto a un tratto. Noi non abbiamo scampo alle nostre debolezze; o si sta in piedi aggrappati disperatamente ai nostri cenci, alla nostra zuppa di cavolo, o lunghi distesi nella mota, irreparabilmente. Non abbiamo armi da usare contro qualcuno: non siamo stati noi a dettare le Leggi che ci governano. Siamo gente difesa soltanto dall'inerzia.

Se io vi parlo di vizio, voi che dite? La paga di mio padre è di venti lire al giorno, siamo in tre a mangiare e c'è un conto mensile di assistenza ospedaliera da saldare per la mamma che prima di morire stette lunghi mesi in sanatorio. Ci hanno pignorato la credenza due volte che non siamo stati puntuali. E la tessera di povertà non ci spetta perché mio padre lavora. Verità sacrosanta, quanto la margherita che spunta in mezzo al prato. È vero che lavora mio padre; e vorreste non godesse qualche lira delle venti facendo il fiasco all'osteria? Eppure siamo in piedi e anche a me nasce la speranza nel cuore: ora lo avverto che ho sedici anni e la prossima settimana riscuoterò le mie prime cinque lire di bardotto.

Se io vi parlo di vizio, di vergogne scoperte come la faccia sotto il sole, voi che dite? La madre di Carlo è lunga distesa nella mota, e ormai vi sguazza e n'è imbrattata fino alla gola. Un giorno si trovò vedova, coi due ragazzi, Olga al petto. Il marito morì in guerra, una lontana guerra, chi si ricorda quale? una canzone forse: *Il Piave mormorava...* cose di mille anni fa. Le venne assegnata una pensione di sei lire al giorno. Ed essa era una bella ragazza che sembrava giocasse coi figli degli altri, quando usciva coi suoi marmocchi sulle strade del Quartiere, così giovane e fresca. Aveva due buccole di corallo alle orecchie, e gli occhi degli uomini addosso – nel nostro Quartiere di Santa Croce. Oh, l'istinto c'era! C'era una ragazza giovane e sola, con una casa vuota, un letto troppo grande per sé e i suoi ragazzi, un cuore stretto dalla delusione e gli occhi degli uomini addosso. Cose antiche quanto l'*Iliade* di Omero, quanto il sanscrito remoto. L'istinto c'era! La madre di Maria è pure passata intatta, attraverso gli stessi sguardi; e nemmeno una memoria da salvare se il suo uomo era morto di coltello in una bettola di via dell'Agnolo. La madre di Carlo era più calda, ecco; forse minata da più secoli di disperazione, senza più speranza.

Carlo ed Olga crebbero vicino alla loro mamma, che era giovane e bella, ed era magari soltanto una buona mamma ammalata, come dice Giorgio; furono con noi sulle strade e piazze del nostro Quartiere.

Olga, piccola e docile, faceva la servetta nei giochi delle amiche. Luciana la mandava a prendere acqua alla fontana per i desinari immaginari di loro bambine, ed Olga guardava da una parte e dall'altra della strada prima di lasciare il marciapiede, compresa del gioco, senza ombra di finzione. A sera Carlo la riconduceva per mano, le puliva il viso col grembiulino. (A volte la trovavamo addormentata sulle ginocchia di Maria che la cullava amorosamente.) Dormiva la sua nottata, come una bambola. Apriva gli occhi al mattino e la madre era premurosa ad imboccarla di latte e pane. Aveva allora sei anni, e Carlo nove, eravamo tutti ragazzi su per giù della stessa età, ma Olga era veramente la più piccola di tutti noi. Ci sembrava una creaturina fatta di fiato, da trattare con riguardo come un oggetto che si possa rompere per imperizia.

Carlo era astioso e maligno, molto spesso; il viso patito; lo sguardo strano, luccicante nel sussurrare una cattiveria, nel progettare un piccolo furto sui carretti, nel trarre in imboscata un coetaneo antipatico. Ma fedele all'amicizia come un cane è fedele al suo padrone e va a morire sulla sua tomba; caritatevole nei momenti in cui eravamo presi da scoraggiamento, come succede da ragazzi, quando pare che tutto vada contro di noi e non vi sia scampo. Allora egli era vicino al dubbioso, il suo cinismo si cangiava in affetto più grande di lui e dell'occasione che lo determinava: la tristezza di cui eravamo preda scompariva per lo stupore che ci recavano le sue parole fuori dell'ordinario, quasi incomprensibili per la saggezza che v'era diffusa.

La madre rientrava tardi la sera, e un uomo la seguiva mentre traversava furtiva il salotto ove riposavano i due figlioli. Carlo imparò a vegliare origliando suo malgrado, attraverso il muro, nella camera della madre. La guardava risentito al mattino. E col tempo (siccome egli era un ragazzo desto e sensibile) l'oscura rappresentazione al di là del muro gli accese di naturali istinti la carne. Penetrato il senso delle cose egli trascorreva la notte in ascolto: riversò sul proprio corpo l'angoscia che lo sconvolgeva, all'unisono coi convulsi e i sussurri della madre e dell'uomo.

Una muta avversità si generò fra madre e figlio, chiuso ciascuno nella propria ostinazione, nel proprio silenzio.

VIII

Marisa fu puntuale. Il suo volto mi parve meglio dipinto con cipria e rossetto. Non aveva più il fermaglio sulla tempia; ed i capelli, pettinati indietro, le scoprivano la fronte tagliata da una piccola vena azzurra che partiva di mezzo alle sopracciglia fino all'attaccatura dei capelli. Si poteva immaginare la sua carne raccolta nel proprio tepore, sotto i risvolti di pelliccia. Teneva le mani dentro le tasche del cappotto, e la borsetta stretta sotto il braccio.

Sapevo che era stata fidanzata più di una volta. E altri fatti, malignati da Carlo a mezza voce, allusioni e nulla più, la rendevano accessibile in cuor mio al desiderio. Stava al Madonnone: una fila di case lungo la via Aretina, abitate da lavandai e contadini, da infermieri del Manicomio ch'è nei pressi, da renaioli che hanno il fiume accanto a casa e tirano i barconi all'asciutto sulle soglie, quando è sera. Si era avvicinata a noi traverso Luciana, essendo entrambe commesse in un bazar del centro, ma io la conoscevo poco. La sua adolescenza era trascorsa lontano da noi, seppure simile. Non v'era amicizia fra lei e me.

Camminando e tenendola a braccetto ero felice, quel giorno. Essa odorava di colonia. Parlava, e la sua voce era chiara e squillante, commentata dal sorriso. Per la prima volta camminavo per le strade e piazze del nostro Quartiere con una ragazza al braccio, compreso del mio ruolo: mi sorprendeva la disinvoltura con la quale agivo. Marisa aveva frantumato con il suo volto aperto e la sua aperta franchezza ogni mio riserbo, la mia innata timidità. Io ero veramente innamorato di lei in quel momento, colmo della sua figura che camminava al mio fianco. Per un attimo pensai a Luciana: la vidi triste e sbiadita nel ricordo, come se la consuetudine che ci univa da troppo tempo avesse consunto dentro di me il sentimento inespresso che accompagnava la sua immagine. Marisa era presente al mio fianco, rideva. Stavo a mio agio vicino a lei: si immedesimavano nella sua persona, e trovavano il loro esito, gli incubi del sangue, gli eccessi del sesso che avevo patito fino allora oscuramente. Salendo d'accordo verso i Colli, traversato il fiume, parlando, era un'offerta tacita e reciproca dei nostri corpi adolescenti che ci scambiavamo con gli occhi. La mia castità era scontata da millenni nell'istante in cui passavo la mano sui suoi risvolti di pelliccia avvertendo il seno se premevo un poco.

«Stai calda, nevvero?»

«Abbastanza. Ti piace? È pelle di coniglio, cosa credi?»

Salivamo lentamente l'Erta Canina. Davanti ai nostri occhi, la scalinata del Monte alle Croci era ferma e aerea a tentare il cielo, con le due file di enormi cipressi battuti dal sole. Un pomeriggio di tardo inverno, tepido e solatio, col cielo azzurro della nostra città, accoglieva l'idillio. Dalla Porta San Niccolò ci inseguivano alle spalle un frastuono di carosello, grida di ragazzi, richiami di venditori di dolciumi e di lupini salati. Lungo l'Erta stavano le donne sedute sulle soglie a godersi il sole, raccolte negli scialli.

«Non ti meraviglia che io sia qui con te sapendo che tu ami Luciana? Pensi che stia commettendo una cattiva azione?»

«Macché cattiva azione» e le strinsi il braccio. «E poi, non ti ho mica detto che amo Luciana.»

«Ma lei lo crede. Lo spera. E tu faresti male se mentissi a te stesso, perché lo dicono tutti che le vuoi bene. Me ne ha parlato Carlo più volte, non lei soltanto.»

Ci fermammo, e io le fui di fronte. Ero più alto di lei, nella strada in pendio.

«Dimmi un po'» le chiesi. «Sei qui per sostenere la causa di Luciana?»

Un'improvvisa amarezza mi invadeva, ma non volevo cedere ancora alla delusione, deciso nel mio desiderio che le sue parole sembravano respingere tutto a un tratto. Essa rise. Fu contenta del mio risentimento: lo sguardo le balenava di malizia. Accentuò volutamente la sua ilarità, troppo immediata per essere sincera: si piegò sul busto battendosi una mano sulle ginocchia. Rispose:

«Ma non arrabbiarti così! Ti vedessi come sei brutto! Strizzi gli occhi come se volessi farmi paura.»

Risollevandosi mi prese il braccio, intrecciando le mani come al mattino sul Lungarno, premendosi al mio fianco. Così salivamo verso i Colli. Essa disse:

«Allora spiegati, su. Parla.» Sorrideva ancora, tuttavia un'incertezza era nella sua voce: sembrava temere le mie parole.

Ma i pantaloni lunghi, la brillantina sui capelli, non cambiano di colpo la stagione del cuore! Cercando di esprimermi fui impacciato, mi sentii il volto avvampare di rossore.

«Se dico che mi piaci, ti basta?»

«No, che non mi basta, potrei anche avermene a male invece.» E soggiunse: «Io so di stare commettendo una cattiva azione verso Luciana, ma non lo faccio per capriccio. Ti ho voluto bene da quando ti ho visto, ed ho sempre fatto a meno di avvicinarti. Pensavo che tu fossi innamorato di Luciana e per consolarmi mi dicevo che eri ancora un bambino, coi ginocchi scoperti. Non ti offendere. Era un modo come un altro per cercare di consolarmi. Sapessi che tuffo al cuore ebbi la sera che ci spiasti!».

«Te ne accorgesti che vi seguivo?»

«Sì. E mi vergognavo come una ladra. Vedesti come presi in corsa l'autobus in via Aretina per sperdere quell'individuo? Per poco non caddi.»

«Io avevo seguito Luciana.»

«Ah sì? Infatti» esclamò, sorpresa; e tacque per un istante. «Chissà perché mi ero illusa! Non c'era motivo che tu lo facessi, eppure mi dicevo che eri venuto dietro a me. Questo cambia tutto quello che ho architettato dentro il cervello in questo tempo.»

«Perché cambia tutto? Hai soltanto previsto ciò che doveva accadere. Avrei dovuto seguire proprio te quella sera.»

«Lo dici così per dire.»

Si era fatta seria. La sua faccia aveva un'espressione immota, tranquilla come nel sonno, con gli occhi aperti e fermi. Fu allora che mi accorsi della vena sulla fronte. Essa seguiva un suo pensiero, disse:

«Forse Carlo ti ha parlato di me. Tu sei venuto all'appuntamento pensando di potermi offendere e basta. E riderne poi con lui. Dimmi la verità.»

«Ti giuro di no» risposi. «Ho scoperto che ti voglio bene, ecco come sta la cosa. Fino a ieri non pensavo a te. Ossia ci pensavo, ma al contrario di quanto ti succedeva; tu eri troppo grande per me, una signorina. O così mi sembravi.»

«Ma io ho sedici anni come te, cosa credi?» Quasi si scusava.

«Ma ne dimostri di più, capisci? Sei già donna.»

Essa parve ritrovare la sua allegria. Sciolse il volto nel sorriso:

«Dici?»

Eravamo giunti alla fine delle rampe, un po' ansanti. Il viale era diritto avanti a noi, curvava in lontananza verso il Bobolino. I platani rimettevano i germogli. Passavano automobili a passo d'uomo, con gente a bordo che si godeva la passeggiata. Alla balaustra del Piazzale Michelangelo c'era gente poggiata a mirare il panorama, o seduta sulle panchine. Attorno alla copia del David, alto sul piedistallo, il fotografo ambulante richiamava l'occasionale clientela. Il caffè aveva messo fuori sulla loggia i tavolini: dei turisti vi indugiavano contenti. Dal capolinea il tranviere scampanellava la partenza.

Al di sotto era la città, con le torri e i campanili, l'armonia dei tetti, antica nelle sue pietre. L'Arno scorreva in piena fra i ponti, lucente al sole. Si distinguevano lontano le Cascine, chiuse nel loro verde. Le colline chiudevano la città in un sapore di terra, di casolari caldi e abitati, di respiro eterno come il cielo, e come il cielo vasto e raccolto. A ridosso del fiume, e come premendolo contro la sua riva destra, stava il nostro Quartiere. Le nostre case buie, il nostro squallido suolo, sembravano scomparsi sotto la distesa dei tetti, uniti l'uno all'altro come se le vie non esistessero proprio, tanto pulito e fresco era il mondo al di sopra delle nostre miserie: l'abside di Santa Croce recingeva il Quartiere in un alone di silenzio e di quiete.

IX

«Ma Carlo non ti ha proprio detto nulla di me?»

Costeggiavamo il viale, ora pressoché deserto di passanti. Le avevo stretto il braccio alle reni. Eravamo una coppia d'innamorati simile alle altre sui due marciapiedi.

«Niente, ti giuro. Cosa avrebbe potuto dirmi?»

Essa mi guardò con intenzione.

«Che mi ha fatto la corte, per esempio.»

«E tu?» Già ero un uomo che chiedeva.

«Quante cose vuoi sapere» essa disse, come invitandomi a domandare ancora.

«Parla» e la stringevo al fianco.

Pensavo, così facendo, di pilotarla inavvertitamente verso il Giramontino, fra i campi. Sorpassammo uno *chalet* ov'era una pista, e giovanotti e ragazze che pattinavano protetti da un'alta rete.

«Io nemmeno a dirlo» rispose. «Te lo chiedevo perché lo so che è una mala lingua. Sta sparlando di Maria per tutto il quartiere. Non capisco come Giorgio non l'abbia ancora picchiato. Ti pare?»

«Sai, è fatto così. Ma è un bravo ragazzo in fondo.»

Ero distratto, eccitato dal suo corpo lievemente abbandonato sul mio braccio, e incerto sul contegno da adottare quando fossimo giunti vicini alla grotta. Essa si fidava sul mio braccio. Una sfumatura di rancore era percepibile in ciò che diceva, ma io non ci badavo, fisso nel mio proposito. Avevo la testa confusa, e un pensiero conficcato dentro.

Marisa continuò:

«Bisogna diffidare di Carlo. Mi aspetto continuamente un'imboscata da parte sua.»

«Ma no, ma no. Sono ubbie tue» le dicevo, distrattamente.

Avevamo voltato sulla strada del Giramontino: i nostri passi risuonavano sulle pietre, nel silenzio e nell'ora in cui il luogo era immerso. La strada era recinta da basse mura ai due lati: svettava l'argento degli ulivi. Poi i muri terminarono, continuando in una grata che divideva dai campi. Anche il lastricato finì, e i nostri passi non ebbero più eco. Ora si apriva sulla nostra sinistra, oltre un cipresso nano, un dirupo incolto, praticabile per mezzo di una scaletta incisa nella terra.

«Andiamo di qua, staremo più in pace» dissi. Dovetti avere un'agitazione nella voce.

Marisa discese la scaletta tenendosi alla mia mano. La guardai in faccia e vidi i suoi occhi stranamente tristi. Non sorrideva più: si leggeva nel suo volto un'inquietudine che non capivo. Quando fummo di nuovo in piano, e io avevo distinto il cespo di ginestre, essa mi chiese:

«Sei sicuro che Carlo non ci spii?»

La sua domanda mi colpì, l'associai al comportamento di Carlo quel mattino, e subito pensai ch'egli mi avesse indicato la grotta per sorprenderci e giocarci qualche brutto scherzo. Marisa mi trattenne per un braccio, disse:

«Non andiamo alla grotta.»

«No, non andiamoci» risposi. Svolgevo il mio pensiero su Carlo, avevo risposto come se anche lei ne fosse partecipe, ma subito mi risentii:

«Come sai della grotta? Vuol dire che ci sei stata!»

Essa si era allontanata di qualche passo, con un fare di animale colpevole: stava in bilico su un'anfrattuosità del terreno, col sole in volto.

«Che vuoi farmi?» domandò, esagerandosi la mia reazione. Ma io per questo le volevo bene, ingiustamente uomo coi ginocchi coperti, persuaso della sua leggerezza.

«Niente. Perché ti spaventi?»

Feci un salto traverso il falò incenerito per raggiungerla. La strinsi a me, la baciai sulla bocca: sentii la resistenza dei suoi denti contro le mie labbra. La baciavo a bocca chiusa, e dentro di me provavo come un senso di avversità, di delusione, compiuto il gesto. La sua guancia era fredda. Essa mi aveva cinto la vita con le braccia, tenendo stretta la borsetta sotto il gomito.

«Amore» sussurrò. «Sii buono. Ti prego, andiamo via di qui.»

Mi conduceva per mano, precedendomi sulla scaletta. Traversammo un campo arato, oltre la strada: prendemmo a destra fino al Parco della Rimembranza. Essa abbassò con una mano il ferro spinato e si introdusse nel Parco.

Io la seguivo, nolente adesso, facendomi forza per superare lo scoraggiamento che mi invadeva.

Il Parco era verde d'erba alta e incolta: ci bagnammo i piedi traversandolo. Disposti irrazionalmente stavano i cipressetti. Tutt'attorno v'era una atmosfera di camposanto o di recesso; e un pallido sole.

Marisa mi condusse a ridosso di una siepe che divideva un prato dall'altro, in pendio, in silenzio: disturbammo una coppia d'innamorati nascosti fra l'erba. Più in là ci sedemmo su una pietra asciutta sporgente dalla siepe. Avevamo la siepe alle spalle e l'alta erba del prato davanti a noi, isolati nel silenzio e nel verde, su cui piovve il suono di una campana vicina.

Ero turbato dai minimi avvenimenti succedutisi. Avevo le membra intorpidite come per un'attesa che si protrae oltre la sopportazione. D'istinto abbracciai la mia compagna baciandola sulla bocca e sulla gola, convulsamente, affondando il viso fra i risvolti di pelliccia. E d'istinto, con l'esperienza dei secoli, la riversai sull'erba, nel gran silenzio del prato, sotto il pallido sole.

Ci rialzammo con le vesti sgualcite. L'aiutavo ad aggiustarsi il cappotto, proteggendola alle spalle; così abbracciandola la baciai ancora. Una distensione avveniva in tutto il mio corpo, lucida la mente come non mai: mi usciva dal petto un respiro ampio e vittorioso.

Seduti sulla pietra di nuovo, essa si riordinava i capelli. Mi passò il fazzoletto sul volto per cancellarvi le impronte lasciate dalle sue labbra. Quel suo gesto fu intimo e devoto, leggero il suo tocco come una carezza. Umettò il fazzoletto di saliva per meglio togliermi il rossetto:

«Scusa» mi disse, avvicinandoselo alla bocca. Il suo sguardo sembrava sfuggirmi. Accusò un brivido.

«Fa freddo» disse. Si accucciò sul mio petto, infilando le mani guantate di celeste sotto la mia ascella, per trovarvi calore. Poi chiese:

«Ora che dirai? Io non voglio perderti tanto presto.»

«Perché dovresti perdermi? Non vedo perché dovrei lasciarti proprio ora. Imparerò a volerti più bene invece.»

«Tu fingi di non capirmi. Ci può essere un modo di voler bene a una donna che è peggio di abbandonarla.»

Parlava come a se stessa, come ripetendosi un vecchio motivo, un'umile, desolata palinodia.

«Tu mi hai scoperta in tutto il mio segreto e forse mi hai già giudicata. O forse non ti ha stupito affatto, perché Carlo ti aveva parlato.»

Io la baciai sulla fronte. Le dissi di credermi se le dicevo di volerle bene: non riuscivo a penetrare il suo dubbio. Essa fu crudele con se stessa, o forse attribuiva al ragazzo che io ero un'esperienza concreta. Col volto nascosto contro il mio petto, sussurrò:

«Ma tu sai ora che c'è stato qualcun altro a cui ho voluto bene.»

Io feci per parlare, ma essa mi prevenne. Dolcemente caparbia: «Stai zitto» aggiunse. «Lascia che ti spieghi.»

Ero intenerito dalle sue parole. La baciavo sui capelli. Davanti ai miei occhi era l'alta erba del prato, i cipressetti qua e là, e il cielo sul quale bianchi cirri offuscavano il sole.

«Carlo ti ha parlato male di me, ma non ti ha detto tutto certamente.»

«Ma non mi ha detto nulla Carlo, ti giuro. Soltanto mi ha indicato la grotta. Questo solo c'è di vero.»

«Te l'ha indicata sapendo che dovevamo vederci, nevvero?»

«Sì.»

Nascosto il volto sul mio petto, Marisa scoppiò in pianto.

«Riscaldami, Valerio. Ora proprio non posso fare a meno di parlarti. Poi forse tornerai da Luciana ch'è una ragazza onesta, ma non ti vuole il bene che ti voglio io.»

«Calmati» le dissi.

X

Marisa disse:

«Venivi dalle mie parti, anni fa, specie d'estate, coi tuoi amici. Avevi una maglietta a righe azzurre e bianche. Io stavo al Lavatoio, l'ultima della fila: avevo un panchetto sotto i piedi per potere arrivare alla sbattitoia. Siccome ero bambina, lavavo i capi minuti: asciugamani, fazzoletti, roba così. Il Lavatoio è lungo e basso, a capannone, e sul fondo c'è la finestra. Il fiume riverberava al sole; si stava sempre con gli occhi stretti per il fastidio. Il calore dell'acqua ci accendeva il viso; sudavamo. Voi di Santa Croce avevate rifiutato l'amicizia dei miei fratelli e dei loro amici. Prendeste a pugni un mio cugino che vi si era avvicinato, gli faceste uscire il sangue dal naso! Le donne vi tirarono sassate mentre fuggivate. Ma il giorno dopo tornaste, su una barca, con una fionda, mirando il Lavatoio: era la tua maglia bianca e azzurra che mirava. Per poco un sasso della tua fionda non mi colpì; traversò la finestra e cadde dentro l'acqua del Lavatoio, a un palmo dalle mie mani. Lo ritrovammo il sabato pulendo le vasche col bruschino: era un sasso color rosa. Questo per dirti come fu che il tuo viso mi rimase impresso.

«Ti sognavo spesso, senza che durante il giorno mi ricordassi di te. Nel sonno ti vedevo puntare la fionda contro di me, dalla barca. Io stavo affacciata alla finestra del Lavatoio, tu mi prendevi di mira. "Scosta, scosta", ti gridavo nel sonno. Mi svegliavo impaurita. Dissi che ti sognavo al confessore la vigilia della prima comunione. Le lavandaie affermavano di commettere dei peccati quando sognavano un giovanotto.

«In casa eravamo quattro fratelli: Milena, la più piccola, è morta di morbillo un anno fa; Rodolfo si è arruolato sergente; siamo rimasti io e il minore, Sandro. Mio padre è barrocciaio; trasporta le damigiane di vino dalla Rufina a Firenze, sta poco in casa. La mamma è tutto il giorno al Lavatoio e la notte divide la biancheria nei sacchetti. L'ho accompagnata per tanti sabati col carretto, a consegnare il bucato nelle case. Ora lo fa Sandro quel lavoro.

«Non vergognarti di me, Valerio, io vedi non mi vergogno. Ero cresciuta. Fu due anni fa, Rodolfo venne in licenza, assieme a un suo amico siciliano allora congedatosi, che appena mi ebbe salutata non mi levò più gli occhi di dosso. Il giorno dopo si misero in borghese tutti e due, mio fratello e lui, mi condussero al cinematografo assieme alla fidanzata di Rodolfo. Mi ero messa le scarpe buone della mamma; mi andavano un po' grandi, ma mi facevano alta, e mi sentivo felice al fianco di quel giovanotto. Quando uscimmo dal cinema, Rodolfo andò ad accompagnare la fidanzata, che abita al di là del Mugnone. Il siciliano, era un siciliano te l'ho detto? mi disse tante cose tornando, siccome dormiva in casa nostra. Non mi ricordo più cosa mi disse. Avvenne tutto come in un altro mondo, certo sull'argine dell'Albereta, perché sento ancora la draga che mi ronza nelle orecchie. Quella notte ero molto stanca, e nel sogno mi pareva di aver lavato una montagna di panni; non feci in tempo a scansare la tua fionda. Mi colpisti col sasso in mezzo alla fronte dove ho la vena, e scappasti remando come un disperato. Eri solo nella barca.

«L'indomani il siciliano fece in modo che non rimanessimo mai soli. La sera stessa partì. Io ridevo come sempre. Se tu vorrai, farò a meno di ridere, per quanto lo faccia senza volere. È più forte di me.

«Tu sai che al Madonnone si vive come in un'isola, accanto all'Arno, fra lavandai. Fuori delle case, dopo l'autunno, c'è sempre fango, e i barrocci dei renaioli vi affondano con le ruote. È peggio che in un paese, dove sto io, al viuzzo Moriani. C'è chi lavora in grande, ha il cavallo e il furgoncino per la riconsegna della biancheria, ed è padrone di tutto quanto il Lavatoio, i Cozzi per esempio. Ma noi siamo gente povera, bisogna prendere in affitto il carretto a mano tutte le settimane: a volte ci si mette al trotto tra le stanghe, per non rientrare con dieci minuti di ritardo e dover pagare una ora di più al noleggiatore. Mio padre non credo desse molto in casa del suo salario. Ho sempre odiato quella vita, e anche mia madre in certi momenti, perché ci si trova a suo agio nella fatica. D'inverno, al Lavatoio, si gonfiano le mani: diventano paonazze come l'uva. Al Bazar è un'altra cosa.

«Non dirmi che sono vanesia. Non ho nemmeno il coraggio di guardarti in viso. C'è sempre quella coppia in mezzo al prato?

«Lavoro allo stesso reparto di Luciana, alla "cancelleria". Luciana mi parlava spesso di voialtri ragazzi, di Maria e di te soprattutto. Tu forse non ricordi di quando ti conobbi, un anno fa. Eri assieme con Carlo. Mi stringesti la mano, e io ridevo come una stupida, col cuore che non mi dava requie dentro il petto. Eravamo in via della Mattonaia, e sulla piazza del Mercato c'erano due gatti che miagolavano. Ho tutto fitto in testa di quella sera, come una preghiera. Tu mi dicesti: "Stai fuori di porta, eh?". Avevi un tono ironico, ma io ero commossa di rivederti. Ti risposi: "C'è aria buona". Non ti sognai più dopo quella sera. Carlo mi volle accompagnare fino a via Aretina; mi piaceva intrattenermi con lui che era un tuo amico. Mi toccò il seno camminando, e invece di arrabbiarmi risi, come una stupida. Accettai un appuntamento per la sera dopo.»

Il sole era scomparso. Con le prime ombre della sera i cipressetti sembravano acquistare un'altezza, sorgendo dall'erba che si piegava ad una brezza gelida. La mia compagna ed io eravamo isolati nel silenzio e nel verde. Le sue parole esorbitavano dalla poca carità che poteva ospitare il mio cuore adolescente. Essa raccontava fatti eterni e veri, come nell'eco di antichi soprusi, di vendette antiche di cui dovessimo scontare la colpa. Il suo parlare era distaccato e lucido quanto la sua storia, dagli esempi secolari, si era consunta in una povera verità senza speranza. Essa sembrava chiedere con le sue parole un intervento non mio, non suo, e non di questa terra: qualcosa che cancellasse l'errore con un gesto, un sussurro, il din-don della campana che si ripeté vanamente nella sera. Io ero un ragazzo che aveva fatto di tutto per liberarsi della propria castità, ed ora stava immobile e stupito, col freddo nelle ossa e una compagna fra le braccia che gli partecipava la sua pena.

Marisa continuò:

«Carlo mi assillò per lungo tempo. Mi guardava coi suoi occhi gialli; la sua faccia malata aveva accessi di ferocia che mi impaurivano. Ridevo per farmi coraggio. Lo sfuggivo, ma egli restava attaccato a me come i capelli. Lo trovavo in agguato per via Aretina, ogni sera; per ogni strada diversa dalla solita che prendessi lo incontravo; bussava di notte ai vetri della mia camera di pianterreno. "Esci, esci", mi diceva. Volevo pensare che tu fossi un bambino per non toglierti a Luciana, e Carlo batteva con le nocche ai vetri della mia finestra.

«Forse fui soltanto leggera. Non sono capace di ragionare troppo dentro di me, e se i miei segreti rimangono segreti è perché non mi so vedere fino in fondo. Come si può imparare, se mia madre crede sia ancora una ragazzina da impaurire col battipanni? Luciana queste cose non le capisce: si mette subito a piangere se le dico che sono triste. Aiutami a spiegarmi, Valerio.»

«Penso che tu sei una ragazza un po' strana, e Carlo aveva anche lui il suo segreto» dissi. «Ero il solo a non aver segreti. Ora capisco perché volevo bene a Luciana. Perché eravamo rimasti ragazzi tutti e due. Ma ormai è un'altra cosa.»

«Allora è vero che ho commesso una cattiva azione, ed ho fatto del male a te e a Luciana, come Carlo lo ha fatto a me.»

«Continua. Fa freddo.»

«Una domenica Carlo riuscì a condurmi quassù, fino alla grotta. Gli brillavano gli occhi; aveva le mani gelate e umide. Ero impaurita della sua eccitazione, eppure ridevo. Non era violento ma la sua decisione era così forte dentro gli occhi gialli che io mi sarei fatta condurre in cima a un precipizio e mi sarei buttata giù a un suo comando.

«Mi rinchiuse nella grotta, appena illuminata dalla poca luce che filtrava attraverso il graticcio di frasche che Carlo aveva innalzato dietro di sé. Fu docile dapprima; mi carezzava. Io ne avevo ribrezzo e piacere nello stesso tempo. Durò un'eternità. Mi fece tanto male, ma inutilmente. Non so spiegarmi. Poi diventò furioso, mi stracciava le vesti di dosso, mi colpì anche sul fianco con un pugno, spingendomi nel fondo della grotta mezza nuda. La paglia e gli stecchi mi pungevano. Nemmeno allora seppi piangere, ma nemmeno difendermi. Egli si era rifugiato vicino all'uscita: si lamentava solo come un animale. Mi perseguitò poi giorni e giorni, minacciandomi se avessi parlato con qualcuno.»

XI

Nel cielo ancora chiaro, coi bianchi cirri naviganti, era comparsa una falce di luna. V'era fra terra e cielo quel distacco di ogni sera, allorché le cose terrene, uomini e flora, acquistano un alone mortale: al di sopra degli oggetti e delle creature, grevi del proprio corpo, il cielo è ancora limpido e terso, con una falce di luna, e Venere che brilla.

Il vento si era alzato più forte: ne palpitava alle nostre spalle la siepe; l'erba si spiegava tutta per un verso e i cipressetti si scuotevano alle cime. Marisa continuò:

«Quella notte non chiusi occhio. Tremavo nel mio lettino; mi mettevo la lingua fra i denti per non batterli, temendo che la mamma mi sentisse dalla stanza accanto. Non mi pareva vero di trovarmi nella mia camera. Mi sembrava di non essere più io e che nulla di quello che percepivo nell'ombra mi appartenesse. La mia persona era rimasta rannicchiata nel fondo della grotta; sentivo scorrermi nella mano il millepiedi che mi ci si era allora posato. Carlo stava davanti ai miei occhi, all'altro capo della grotta: lo vedevo per le lingue di luce che gli battevano alle spalle. Mugolava, guardandomi col suo sguardo di gatto incattivito, con una voce che non era la sua ma un gemito che mi terrorizzava e che mi chiedeva di star ferma e distante. Tu lo vedi così com'è, un ragazzo come noi o poco più, ma in quel momento era una bestia raggomitolata nelle zampe. Coricata nel mio letto io non ragionavo più; era come se il mio cervello, e tutto quello che conta dentro, fosse rimasto nella grotta; non mi sovveniva affatto di come ne fossi uscita e giunta a casa. Dovevo pur aver parlato con la mamma e rigovernato i piatti perché lo facevo ogni sera, ma non me ne ricordavo. Tutto a un tratto sentii battere ai vetri con le nocche. Saltai dal letto al primo colpo, d'istinto fui alla finestra che ha l'inferriata sul Viuzzo. Carlo era dietro l'inferriata: mi porse un biglietto e scappò via.

«Mi destò la mamma, prima di andare al Lavatoio. Nel sonno mi ero fatta male a una mano con le unghie, tanto forte chiudevo il biglietto nel pugno. Egli tornò la notte dopo, battendo con le nocche contro il vetro; mi dette un secondo biglietto e fuggì. Così per molte notti, più di un mese, e sempre io gli aprivo la finestra temendo ch'egli insistesse svegliando la mamma. Il biglietto diceva sempre la stessa cosa: *Se parli con qualcuno io ti ammazzo. Ho una rivoltella con due colpi, pensaci. Se ti fidanzi con qualcuno io ti ammazzo con la medesima rivoltella. Quando sarò sicuro torneremo lassù e non succederà più. Io ti amo e tu devi aspettare me, se no ti ammazzo con la rivoltella.*

«Vissi un mese d'incubo. Prendevo il tram per andare e tornare dal Bazar temendo che lui mi pedinasse. Sul tram incontravo spesso un giovanotto di Rovezzano, che una sera scese alla mia stessa fermata, mi si avvicinò e chiese di accompagnarmi. Lo scongiurai invano di andarsene: mi camminò accanto dicendomi le cose che dicono i giovanotti in quelle occasioni. La notte Carlo bussò e mi consegnò il biglietto con le solite parole.

«Improvvisamente mi parve di non doverlo più temere. Accadeva qualcosa e lui non se ne accorgeva. Anche il biglietto, sempre uguale, mi apparve come una cattiveria di ragazzo, da poterci rider su. Mi fidanzai col giovanotto di Rovezzano, che mi veniva a prendere al Bazar tutte le sere. Poi andò soldato. Mi aveva fatto conoscere un suo amico prima di partire. Io ero tornata la stupida che rideva. Non vergognarti di me, Valerio; io non mi vergogno più, vedi.

«Ma quando la notte Carlo bussava alla finestra, il vecchio terrore mi riprendeva. Ogni sera temevo che invece di consegnarmi il solito biglietto, mi sparasse addosso. Tutte le sere era un po' di vita che mi toglieva. Buttavo gli occhi in fretta sul biglietto per rassicurarmi; mi addormentavo ridendo sola sola. Oggi capisco che ero vanesia non altro che per scordarmi il terrore di ogni notte. Dei giovanotti che frequentavo non riuscivo a innamorarmi, né ad aver fiducia in essi per confidargli il mio segreto. Ormai tutto mi appariva con un senso di provvisorio: ridevo come una stupida, e le cose mi pareva di toccarle o assaggiarle per l'ultima volta. Se penso che la mamma ha quarant'anni, e potrei vivere anch'io fino a quell'età, mi viene meno il cuore.»

Ora l'ombra era fitta. Anche la falce di luna era scomparsa nel cielo buio, dal quale emergevano pallide alcune stelle. Il vento fischiava sui cipressi. Dal viale, giù in basso, udivamo passare il tram; di tanto in tanto il faro di un'automobile giungeva fino sul prato con la sua luce. La voce di Marisa, qualcosa di estraneo a quel corpo che si appoggiava al mio per trovarvi calore, continuò:

«Fino alla sera in cui quei due ci seguivano e tu ci vedesti. Doveva esserci anche Carlo con te, ma io non me ne accorsi. Immaginai tu venissi dietro a me, e mi sentivo sconvolta. Credevo di averti dimenticato durante la vita amara di quel tempo, ma la sera che ti rividi provai uno scompiglio che non ti so spiegare. Piangevo, mi davo pizzicotti per farmi una ragione; mi dicevo che eri un ragazzo coi pantaloni corti, e che avrei potuto avere giovanotti quanti ne avessi voluti. Perdonami, Valerio.

«Quando Carlo batté con le nocche alla finestra, desideravo mi sparasse contro, pensavo da ore a quel momento, come se davvero dovessi morire, così ti avrei dimenticato. Invece Carlo mi gettò il biglietto e fuggì via. Lo chiamai anche, perché mi sembrava impossibile continuare a vivere, quella notte. Accesi la luce per farmi compagnia. Seduta in mezzo al letto piangevo come una bambina, mordendomi la lingua, agitando le mani davanti agli occhi per mandarti via. Poi, senza volere, guardai il biglietto che avevo nella mano. Le parole erano diverse, dicevano: *Mettiti pure col giovanotto che ti seguiva se ti piace. Io sono stato un vigliacco e me ne pento. Domani venderò la rivoltella.*»

Marisa si strinse più forte a me, cingendomi le spalle con le braccia. Un cane abbaiava, un rumore di motocicletta dal viale, la siepe e il prato immoti per un improvviso respiro del vento.

«Ora non so più dirti nulla» disse Marisa. «Sono stata cattiva con Luciana. Stamani mi sono scoperta un capello bianco nel pettinarmi. Avevo la morte nel cuore quando ti ho incontrato, e lo stesso devo aver riso come una stupida.»

XII

A primavera sui davanzali delle nostre case sbocciano i gerani. Le sorelle se ne infilano una ciocca fra i capelli; picchiano col battipanni, allegramente, sulle coperte, prima di riporle sul piano dell'armadio, insieme ai cappotti, che hanno rammendi ai gomiti e il bavero rovesciato.

Da una finestra all'altra delle case, dall'una all'altra strada del Quartiere, il motivo di una canzone è ripreso da cento voci: lo interrompono dialoghi e richiami gridati dalle stanze, nelle quali circola l'aria della nuova stagione, che sa di foglie di albero e di segatura bagnata.

> Il bandolero stanco
> scende la Sierra misteriosa,
> sul suo cavallo bianco
> spicca la vampa di una rosa...

dice la canzone. Il nostro dialetto acquista una castità antica: le voci che se lo rimandano di camera in camera, di vicolo in vicolo, hanno un'affezione particolare nel loro suono, come emesse da labbra dissetatesi a una sorgente, stillanti alla luce diafana del primo mattino, sotto la quale le facciate delle case acquistano una dignità nel loro squallore di mattoni scoperti e docce arrugginite.

Il *Bar San Piero* ha smontato la sua porta a vetri: invade il marciapiede la teglia dei bomboloni avvolti nello zucchero, fragranti di vainiglia. Il trippaio è davanti al suo carretto: fuma nella vaschetta il lampredotto appena bollito; gli si affollano attorno i garzoni del Quartiere col pane croccante fra le mani, per la prima colazione: si puliscono le dita sul fondo dei calzoni per servirsi un pizzico di sale. Il fornaio è in maglietta e mutande sulla soglia del negozio. Passa il cenciaiuolo col suo richiamo e il barroccino spinto da un ragazzo. Col sacco sulle spalle, un giovane di diverso accento lancia per via dell'Agnolo il grido quotidiano: *Compro capelli caduti dal pettine*. Dice la canzone:

> Quel fiore di primavera
> vuol dire fedeltà,
> alla sua capinera
> egli lo donerà...

E il giovinetto, dall'alto dal suo triciclo carico di latte di benzina, interrompe il canto per sterzare arditamente sulla ragazzina impacciata: «Badi, oooh!» gridandole sul viso.

Dalle spallette dell'Arno, su cui una nebbia leggera tarda a diradarsi, i pescatori sono tutt'occhi al turacciolo che galleggia sulla corrente: hanno affidato la canna sul parapetto con un chiodo, accendono un mezzo sigaro nell'attesa. Il lungo filo della lenza si sperde nella rifrazione.

Il nostro Quartiere è desto e sonante d'umanità e di veicoli. Anche le finestre della casa di via Rosa si schiudono dall'interno: incuriosite occhieggiano, traverso le persiane, le inquiline: hanno vestaglie rosa, e pronta la risata al giovane maniscalco che depone la zampa del cavallo stretta fra i ginocchi per togliersi il berretto. E le madri rovesciano sul tavolo il borsellino: raccolte nello scialle, contano sulle dita prima di uscire a far la spesa.

Olga trova fermato sotto il portafiori, ogni mattina, un foglio da cinquanta lire che la madre vi depone prima di coricarsi. Con una serietà che le si addice come un vezzo, Olga si reca al mercato e nei negozi. Non penetrano la sua ingenuità gli ammiccamenti dei garzoni: le donne le porgono gli involti se essa non arriva al banco col suo braccino teso. Carlo s'indugia a letto; oppure è fuori, gioca una partita di biliardo col figlio del rosticciere che è studente; magari sta accanto ai pescatori sulla spalletta. Così lo penso dal mio banco d'officina, mentre porgo i pezzi al montatore, stringendo le viti sui telai: il sole batte sulla vetrata e ci riscalda come in un acquario. (Carlo non mi ha chiesto l'esito della mia passeggiata con Marisa.) Maria non va più al lavoro, trascorre il mattino alla finestra, con una ciocca di geranio sulla tempia, si ritira se vede spuntare la madre con la borsa della spesa. Giorgio è occupato da uno spedizioniere; scarica i "colli" e li trasporta dal magazzino alla stazione. È alto e forte, riccioli biondi gli scendono sul collo nudo. Si incontrerà con Maria verso la una, all'ospedale ove si trova Arrigo che ha dovuto operarsi di appendicite. I fidanzati escono assieme la sera, per una passeggiata sui lungarni.

Anche Luciana è stata a trovare Arrigo: gli ha portato del succo di amarena.

E veramente siamo diversi. Coi ginocchi coperti o gli alti tacchi da donna, pensiamo di affrontare il mondo via via che il cuore si gonfia dentro il petto, e negargli lo sfogo ci sembra sia un dovere. Diventare grandi crediamo sia questo soffrire in silenzio, parlare per allusioni o fare gesti che abbiamo visto fare, mischiare veleno e miele dentro il cuore. (Da quella domenica, Luciana non mi saluta più; ed a Marisa che ha cercato di spiegarle, ha detto: «Siete fatti l'uno per l'altra, cosa c'entro io?». Si è stesa le mani sul grembiule nero ed è andata in direzione a farsi cambiare il reparto, distante da Marisa.)

Eppure possiamo leggerci dentro il cuore l'uno con l'altro, seguirci in ogni strada o piazza e fra le mura delle nostre case di Quartiere. I nostri sogni sono stati così uguali che per formare diverse le nostre storie abbiamo dovuto dividerci le occasioni, come da fanciulli si prendeva ciascuno una qualità diversa di gelato per assaggiarle tutte.

Ma ora abbiamo i tacchi alti e le ginocchia coperte; e una finzione negli occhi se ci guardiamo. Ma basta che uno di noi volti un angolo di strada o salga una rampa di scale, perché gli altri possano seguirlo in ogni gesto, come in uno specchio. Ce ne siamo dette le ragioni un giorno lontano, con pugni e abbracci, muco sotto il naso: non c'è nulla che possa sfuggirci nell'affetto che ci lega. Lasciate che la finzione ci squassi, o la vita, col cuore che si fa grosso e noi lo comprimiamo. Un giorno saremo ancora tutti assieme, seppure coi corpi consumati da contatti estranei. Ma i nostri corpi sono abituati a dormire su un materasso di foglie, a soffrire di geloni, si sono nutriti di cavolo e di lampredotto, come volete che ci faccia paura ritrovarci un po' diversi in viso? Credete che non ci riconosceremo?

XIII

Ora Gino si fa vedere raramente, e se capita che qualcuno di noi gli confidi i propri tormenti, egli si passa una mano sulle labbra nel gesto che gli è abituale e dice: «Sembra che per voialtri non cambi mai nulla, mentre ogni mattina basta uscire di casa perché succedano meraviglie. A volte ho l'impressione che siate rimasti i ragazzi di una volta, quando seduti a cavalcioni sulle panchine si giocava a *cherechè*, e le bambine ci stavano a guardare. Vi mangiate il cuore l'uno con l'altro come se non esistessero altri uomini o donne intorno. Ma aprite gli occhi e vi accorgerete che il mondo non comincia all'Arco di San Piero e non finisce a Porta alla Croce!».

Egli vive in casa della sorella (maggiore di lui di dieci anni), con lei, il cognato e i due nipotini. Il cognato ha bottega di barbiere sulla via Ghibellina; Gino la frequentò per qualche tempo imparandovi il mestiere. Finché un cliente si elesse a suo protettore e lo ricordò nel testamento, lasciandogli un legato perché potesse riprendere a studiare. Aveva undici anni in quel tempo. Noi lo burlavamo per la sua diligenza di scolaro. Alla prima liceo fu bocciato; perdette il diritto all'eredità che era condizionato al buon profitto negli studi. Già allora cominciava ad allontanarsi da noi, già imparava che il mondo continua oltre Porta alla Croce.

Ma forse più di tutti noi egli è rimasto il fanciullo di una volta che gioca inconsciamente un gioco pericoloso. La sua strana natura che da ragazzo lo angustiava in crisi di malinconia, in eruzioni violente sulla faccia, lo sta prendendo per i capelli e lo sbatte agli angoli delle strade, sulle soglie dei caffè, in alcove pervertite, come un trastullo. Perduto il limbo del *cherechè* (ove il cielo era azzurro, e appena qualche sbucciatura ai ginocchi) egli sta adesso a capo confitto nella pece. Glie ne sorge sul volto un sorriso indolente, negli occhi una mortificazione che si vela di ipocrisia. I suoi chiari occhi di innocente sfuggono lo sguardo degli amici quando parla; si passa una mano sulle labbra, dice: «Il mondo non finisce a Porta alla Croce». E così dicendo egli tradisce ciò che di vero aveva in comune con gli amici: il sentimento di Quartiere, e quel sapersi inventare la vita nella misura dei nostri corpi, vicini e solidali.

Egli ha valicato la nostra dimensione fatta di affetto e carità, per cui basta un contatto trepido delle mani, il geranio fra i capelli, una parola, a schiuderci nella felicità. Si è staccato dal nostro girotondo nel quale ci teniamo strette le mani per sentirci uniti: gira solo e vano fuori del cerchio. Siccome i nostri fiati più non lo riscaldano egli è freddo e ostile quasi, sazio nella vanità di un corredo da figlio di famiglia, delle sigarette "Xantia", dei denari che può perdere senza rimorsi al tavolo del ramino.

È l'una nel nostro Quartiere. Il trippaio parte col suo carretto; cala la saracinesca il profumiere. Al *Bar San Piero*, giovanotti in tuta aspettano l'espresso fumando la sigaretta. Fra il viavai delle biciclette e della gente apparirà Luciana fra non molto. Maria apparecchia il tavolo per il desinare, e Arrigo convalescente legge un giornale sportivo coi gomiti posati sul davanzale della finestra.

Il cielo è azzurro e limpido sulle nostre strade. Dai giardini il vento di primavera reca fin sotto la Volta uno sperduto odore di tigli. Anche Olga ha preparato la tavola per la mamma che si arriccia alla specchiera i capelli ossigenati, ed ha un'aria stanca ed umile di tradita. Olga è sbocciata di sorpresa, sotto i nostri occhi, in questa primavera, come i convolvoli ai muri. Ora è una fanciulla che sa di primavera, fiato e carne che vivono fra le nostre mura. Forse Carlo ha avuto soggezione del suo improvviso fiorire, si è schiuso ad un discorso, orientato: lavora nella segheria sotto casa. Siede al tavolo e sorride alla madre che ha la faccia slavata e la pelle tesa alle tempie. Olga toglie divertita un truciolo dal ciuffo del fratello, gli dice: «Lavoratore!» e gli dà un pizzicotto sul collo.

Giorgio ha incontrato Gino sulla soglia del Bar. Lo ha preso a braccetto. Giorgio ha la canottiera rigata di sudore sotto l'orlo, una giacca che gli va stretta e corta sui fianchi. Così dimessamente vestito il suo corpo acquista una forza singolare: coi lineamenti marcati in volto e i biondi capelli che si arricciolano sul collo. Le mani, maculate di piccole e fitte rughe nere, gli sono quasi d'impaccio: le agita parlando. I suoi gesti sono a volte smisurati, come egli volesse fermare nell'aria il concetto che gli sfugge, nelle parole che non lo soccorrono.

Con un braccio fasciato per un incidente di officina, mi unisco a loro, lungo via de' Pepi.

Giorgio dice:

«La verità, Gino, è che anche il tuo mondo finisce a un certo punto. A un punto mille volte peggiore di Porta alla Croce.»

«È la moralità, Giorgio, che vi frega.»

«Nemmeno per sogno. Io non ne faccio una questione di moralità, ma una questione d'amicizia. Perché, e questo oggi ti sembrerà strano, ne faccio una colpa mia personale, come di Carlo, di Arrigo, e sua di Valerio. Se ti sei buttato su cotesta strada vuol dire che noi non ti siamo bastati, vuol dire che abbiamo mancato.»

«È assurdo.»

«Non è assurdo. Finché eravamo ragazzi andavamo d'accordo dato che, più o meno, volevamo tutti la stessa cosa. Se uno aveva del rancore lo sputava e una cazzottata ci faceva più amici di prima. Ma poi siamo cresciuti, abbiamo creduto ai nostri segreti. Siccome erano nostri ce li leggevamo negli occhi e quasi ci si voleva più bene. A un certo momento è stato come se tu non ci avessi più guardato negli occhi: sei rimasto solo con il tuo segreto. La colpa è dunque nostra: ti dovevamo dare un colpo sotto il mento per farti alzare il capo e guardare cosa avevi dentro.»

Siamo giunti in piazza Santa Croce. Il sole dell'una è tutto sulla facciata della Chiesa. Dal silenzio del chiostro emergono i cipressi recinti in quadrato. Sotto la statua del Poeta sono seduti i vecchi dell'Ospizio a godersi il sole: conversano con le mature prostitute che si riordinano i capelli e si scuotono dal grembo le briciole di pane, sulle quali piombano i piccioni. I tipografi e i mosaicisti, in camiciotti gialli e neri, lunghi fino al ginocchio, oziano sulle panchine in attesa della sirena. All'angolo di via de' Benci, in ombra, stanno le carrozze, coi cavalli che affondano il muso nel sacco della biada: li controllano i fiaccherai mangiando agli ultimi tavoli dell'osteria che dà sulla piazza.

Giorgio dice:

«Allora io penso che tu sia rimasto solo con i tuoi segreti. E penso che per prima cosa, un certo giorno, tu sentissi la voglia di fumare e ti facesse fatica andare a bottega con la voglia di fumare. Non posso immaginare di più. Ma penso che sia stato perché avevi voglia di fumare e un tizio è passato aprendo davanti ai tuoi occhi un pacchetto di "Serraglio". Non hai saputo resistere.»

Lo sguardo di Gino, furbo come per un'ironica condiscendenza, si è cambiato d'un tratto: una luce di rancore lo ravviva. A labbra strette, dice:

«Già. Pensi che sia stato come il cappellino di Maria.»

Ha uno scarto nella persona, di difesa. Ma Giorgio non reagisce. Soltanto serra il pugno e se lo batte sulla fronte.

«Sei vuoto come una zucca» risponde. Il suo accento è desolato: desolato e virile come il volto che gli appartiene in quell'istante.

«Vieni qua» aggiunge. Prende Gino per il braccio, e glielo stringe. Ma affettuosamente, come si fa con un fanciullo caparbio. «Mettiamoci a sedere su una panchina.»

Tace un momento. E distrattamente, conciliante:

«Attento» gli dice. «È sporco di terra.» Continua: «Se questa campana non ti piace, parliamo da uomo a uomo. Tu mi concederai che siamo stati amici, proprio su questa panchina abbiamo giocato assieme: Valerio può testimoniare. Né tu negherai che ci siamo voluti bene. Allora senti, dammi una soddisfazione. Poniamo che tu parta, vai in America, vai al di là di Porta alla Croce, insomma. E giacché parti, e sei un mio amico, mi confidi le tue speranze per quando sarai arrivato in America. In che cosa pensi di riuscire continuando su cotesta strada?».

Gino ha abbassato di nuovo gli occhi. Sta seduto con le mani fra le ginocchia. Forse nella domanda di Giorgio egli riconosce una verità alla quale non sa rispondere. Forse la sua coscienza si è fatta tanto assente che solo la finzione può soccorrerlo. Tace come meditando. Si dispone a parlare cercando aiuto nelle parole che per prime gli usciranno di bocca. Ma il suo animo è codardo ormai, e le sue parole si piegano alla giustificazione.

«Non lo so nemmeno io» risponde. «Ossia so che per la gente sono un mascalzone, mentre tu sei il bravo ragazzo.»

S'interrompe. Guarda Giorgio, poi me. Ed ha un sorriso ipocrita sulle labbra, simile a chi scoperto a barare cerca di buttare la cosa in ischerzo. Ma Giorgio è deciso nel suo discorso; il suo sguardo è limpido e penetrante, fisso in quello di Gino che subito si distrae volgendosi attorno come si sentisse spiato.

«Lascia stare la gente. Rispondi alla mia domanda. È troppo facile dire che non lo sai nemmeno tu. Vuoi che ti aiuti?»

«Mah!»

«Come mah? Vedi: se tu potessi rispondermi, insomma se ti vedessi convinto di quello che fai, allora vorrebbe dire che hai il coraggio delle tue azioni. Mi faresti schifo, e mi convincerei di lasciarti perdere. Lo stesso se tu fossi veramente malato. Ma siccome so che tu lo fai soltanto per dei quattrini e per non andare a lavorare, allora non ti dò pace. E smetti di guardarmi con cotesta faccia da ebete. Credi provi gusto a star qui con te saltando il desinare?»

«A parte tutto» dice Gino, e un sordo rancore lo domina adesso. È diventato pallido, ha lo sguardo buio. «A parte tutto: non potrebbe esser un lavoro anche questo?»

Improvvisamente la larga mano di Giorgio lo colpisce sulla guancia. Prima ancora che per l'impaccio del mio braccio fasciato io possa intervenire, Giorgio ha sollevato l'amico per il petto, e con la larga mano lo colpisce sul viso, poi lo getta di nuovo a sedere sulla panchina. «Alzati carogna» gli grida. Siccome Gino non fa un gesto di difesa, Giorgio gli è di nuovo adosso e lo colpisce.

Giorgio è calmo e composto. Ogni suo colpo è come un insulto lanciato a mente fredda, che gli esce dalle mani e si abbatte su Gino. Un soldato accorre e mi precede: li divide. Anche i vecchi si muovono dal piedistallo del Poeta. I fiaccherai sono sulla porta dell'osteria. Si fa il cerchio dei passanti.

«Beh, Giorgio» dicono i tipografi e i mosaicisti. «Vi picchiate fra di voi?»

«E reagisci, coglione!» dice un ragazzo a Gino che si tampona il naso con il fazzoletto.

(Fu Giorgio a disperdere i curiosi. Prima di lasciarlo, disse a Gino: «Ricordati che domenica mi sposo. Non mancare».

E mentre andavano verso casa, mi disse:

«Penso che dovremo rassegnarci a perderlo. Ci credi? Non riesco a farmene una ragione.»)

XIV

Le donne accovacciate sulle sedie nane, lungo i marciapiedi di via de' Pepi e di via dell'Ulivo; il bacalaro coi vetturini; e la fornaia dalla soglia della bottega con l'ortolana dirimpetto, parlavano in quei giorni di Giorgio e di Maria.

Era un aprile di Quartiere. I vasi di geranio sbocciavano sui davanzali. Nelle case si perlustravano i soffitti per togliervi le ragnatele dimenticate, in occasione della visita del curato che portava l'acqua benedetta. Maria preparava l'abito da sposa: un tajer grigio tagliato a uomo e la gonna corta e stretta. Pensava di indossarlo sopra la camicetta bianca guarnita di ricami, alla quale la sera dopo cena stava lavorando Luciana.

Maria è andata dalla sarta per la prova in due diverse domeniche, con Luciana che ora le è spesso vicino. Poi sono state alla messa di mezzogiorno. Le ho viste procedere a braccetto per via de' Malcontenti, appena uscite di Chiesa. Si sono voltate a un richiamo di Olga che le ha raggiunte correndo.

È veramente cambiata Maria, da un anno a questa parte. Il suo volto è più calmo, e il suo solito sguardo di furbizia acquista una tenerezza d'innamorata. Porta i capelli raccolti sulla nuca; il suo passo è disinvolto. È una donna ormai. Quella sua bassa e calda voce che turbava la mia adolescenza, ha ora un timbro più sicuro, qualcosa dal di dentro la modula e la controlla.

È trascorso per Maria un anno importante, in cui giorno per giorno ha costretto il proprio istinto a piegarsi su una realtà che gli era ostile. Il suo punto d'equilibrio è adesso stabile. Con la forza di volontà che le nasce da una ragione acquisita, ha voluto provare a se stessa la propria liberazione. Ha avvicinato l'antica compagnia, proprio l'uomo che la lasciò addormentata in un letto di un grande albergo. Le è parso una creatura ridicola, con sulle labbra un linguaggio vanesio, sotto i baffi repulsivi. Anche il liquore del caffè del centro non è più di suo gusto: l'ha fatta tossire. Forse nel suo ragionamento sussiste un che di volontario, ma le basta, per sentirsi sicura, mentre promette al vecchio amico di farsi presto rivedere, l'idea che tradirà quell'attesa, e il pensare a Giorgio con la consolazione nel cuore. Appena Giorgio è a casa, essa gli confessa tutto, felice. Lo stringe con le braccia attorno al collo, fiuta il suo odore di uomo. Giorgio la blandisce nello slancio e le dice:

«Se credevi che ce ne fosse bisogno, hai fatto bene. Ma che tu ne abbia sentito il bisogno è una cosa che mi lascia pensare.»

«Mi aspettavo che avresti detto questo. Ho voluto sottopormi a una prova, se ho fatto male perdonami.»

È stato un anno di teneri colloqui, di serene parole, di reciproca conquista fra Maria e Giorgio. «Dobbiamo sapere quello che vogliamo, e perché» aveva detto Giorgio l'indomani di quella sera di febbraio. E inconsciamente, lungo un anno, il loro amore era stato una trepidante ascesa nella grazia, l'elementare bisogno di esprimersi l'inesprimibile che hanno le creature leali innamorate. Si sono congiunti spontaneamente una domenica di settembre che erano rimasti soli in casa: accadde semplice e naturale, come palpita il geranio al davanzale, come l'Arno scorre nella sua quiete.

Siccome la mamma di Giorgio, con il fratello minore, sono andati in campagna dai parenti contadini e hanno lasciato la casa di Quartiere, Giorgio abita adesso dalla fidanzata. Dorme nel salotto, sulla branda di Maria, ed essa si corica con la madre. Arrigo e Giorgio conversano fino a tarda notte, traverso il tavolo che divide le due brande. L'orologio fa tictac, sulla casa rasserenata. Ed è un segreto fra amici che Maria sia incinta. (Ma la gente, ch'è maligna, azzecca la verità.) Questo evento schiude a tutti noi la giovinezza, qualcosa che in fondo ci dà fastidio e che nello stesso tempo ci compiace.

Io ho avuto con Carlo un chiarimento dal quale sono uscito sentendomi più alto di statura. Con una fermezza di cui non mi facevo capace, gli ho detto di amare Marisa, di saper tutto della grotta e di lui. Poi gli ho detto:

«Tutto questo lo conosci meglio di me. Ma io non te lo ricordo per umiliarti. Quel vostro fatto passato mi sta come uno stecco dentro il cuore. So che non ha importanza, e che in definitiva non mi riguarda, e non riguarda Marisa, e forse non riguarda più nemmeno te. Ma io sento il bisogno di parlartene. Non so perché, ma sento il bisogno di parlartene. E non per farti del male, credimi.»

Carlo mi ascoltava. Quando ho alzato lo sguardo sulla sua faccia ho visto che aveva gli occhi umidi di lacrime: i suoi gialli occhi di gatto avevano una dolcezza che gli conobbi uguale in certi momenti dell'infanzia. È stato di una lucidità da ispirato, dicendomi di sé e della sua natura violentata dalle occasioni. Il suo discorso, che poteva farlo sembrare crudele verso se stesso, si velava di una carità fraterna. Ha detto infine:

«Marisa è buona d'animo, ha sofferto per colpe non sue, e certo anche lei ti ama. Se è vero che pensi sia lei la tua donna, meglio non ti poteva capitare. Io non l'ho mai amata. A un certo momento mi è apparsa come un fantasma da agguantare, e tu sai come sono cattivo quando perdo la testa. Ora può darsi che mi trovi sulla strada buona. Sono deciso a resisterci con tutte le mie forze, ed ho bisogno più di sempre degli amici. Diglielo a Marisa.»

Ha continuato:

«Merito di Giorgio se mi vado mutando. È lui che ci piega tutti per il verso buono, non te ne accorgi? È stato lui a farmi capire come Olga dev'essere tutelata. E se ho potuto avviare un discorso serio con mia madre è stato perché lui mi ha suggerito il modo. Sai che la mamma andrà a stare a Milano?»

Ha arrossito a queste parole. Poi mi ha chiesto, sorridendo:

«Di Luciana te ne sei dimenticato, eh?»

Gli ho risposto:

«Luciana è la Luciana di sempre. Ci siamo accorti prima di cominciare che eravamo due amici e basta.»

E le donne di via de' Pepi e di via dell'Ulivo parlano di Giorgio e di Maria.

«Civetta era, civetta resterà.»

«Ma ringraziamo Iddio invece che quella madre possa chiudere gli occhi in santa pace. Anche la famiglia si riassesta, ora che la ragazza ha ripreso a lavorare in casa e Giorgio è passato magazziniere.»

La fornaia dice all'ortolana:

«Che la ragazza debba essere incinta mi sembra chiaro, se no non ci sarebbe motivo di tutta questa fretta.»

«Se gli sposi avranno la camera per loro, la vecchia dovrà dormire in salotto col figliolo.»

Il bacalaro rimprovera un vetturino che aveva azzardato la parola. Si arriccia il neo e risponde:

«È diventata diritta più di un fuso. Altro che zigo-zago!»

Nel crocchio delle donne che sedute sulle sedie nane rivestono dei fiaschi intrecciando abilmente la paglia colorata, Argia col suo bambino in braccio dice:

«E purtroppo mancheranno i capi famiglia allo sposalizio. Uno al camposanto, l'altro in galera innocente come l'acqua. E chissà quando uscirà!»

«Zitta, zitta, cambi discorso» dicono le donne ad una voce.

XV

Il giorno delle nozze fu d'aprile. Una domenica di fine mese. Anno 1934, se può interessare. Giorgio aveva meno di venti anni, e diciannove la sua sposa. Coetaneo dello sposo era Carlo, io scrittore ne avevo diciotto come Marisa, e diciassette Luciana: eravamo i testimoni. Ci fu un andirivieni di noi amici, dal Quartiere in certi uffici e all'Arcivescovado, per una insormontabile burocrazia dovuta alla "minore età dei contraenti". Per la firma di consenso del padre di Giorgio la pratica andò alle lunghe; si dovettero scendere e salire le scale della Procura del Re.

Compare d'anello fu Arrigo che aveva l'età di Luciana. Differenza di mesi, insomma. Sapete? I padri tornavano in licenza dalle trincee di quella antica guerra per la quale si cantava: *E se ti nasce un figlio mio – Trento e Trieste lo devi battezzar*, fatti dell'età della pietra. E tornando in licenza dalle trincee, i fanti abbracciavano le proprie mogli frenetici di desiderio, con lo struggimento in cuore di abbracciarle forse per l'ultima volta. (Come accadde al babbo di Carlo, che prima di tornarsene nelle trincee prese in braccio il suo piccolo di due anni, appena conosciuto, lo fissò per stamparsi bene in mente quegli occhi gialli di micino, e gli disse: «Ricorda alla mamma che se succede anche questa volta, questa volta dev'essere una bambina. La chiameremo Olga come la povera nonna».)

Egisto bacalaro aveva procurato le vetture, convincendo il

padrone dello stallaggio a fare il suo regalo. Stavamo pigiati dentro le due carrozze; per le strade del Quartiere la gente ci salutava. Giorgio indossava un vestito blu prestatogli da Gino. Era biondo e felice. Maria cercava dissimulare nella disinvoltura dei gesti l'interiore beatitudine che le faceva desiderare, per contrasto, di essere sola e distante, a ricordarsi di quel momento.

E noi eravamo contenti di essere amici, di essere giunti insieme al punto che chiamiamo felicità. Tutto il passato, infanzia – adolescenza, era trascolorato nella nostra memoria, insieme ai dubbi e ai dolori, alle precoci passioni che lo accompagnarono, anche se inconsciamente poggiavamo sicuri su tutto ciò come da una finestra amica che ci permettesse spaziare su un paesaggio inusitato.

Avevamo stabilito le coppie per far seguito agli sposi: Arrigo con Luciana, Marisa ed io, Carlo con Argia; e siccome Gino era mancato alla cerimonia, Olga era al braccio di Berto, un compagno di lavoro dello sposo, uomo sui trent'anni, slanciato nella persona, risoluto nello sguardo, cordiale. Al suo fianco Olga, esile e bionda, sbocciava alla testa da un vestito celeste, quasi estivo, ampio di gonna, che le ricadeva sugli omeri in boffi spumosi. Marisa si teneva al mio braccio, con un'agitazione che indovinavo tutta interna, celata dal volto chiuso alla contentezza.

Il rinfresco avvenne nella camera degli sposi. Sul letto erano disposti i regali; la camera e il salotto affollati di amici e di vicini che si complimentavano, mio padre e mia nonna fra gli altri. Sulla soglia della cucina stavano le due madri, tenendosi per mano. Finché rimanemmo soltanto noi amici. Berto era con noi.

Sedemmo al tavolo, imbandito con paste dolci e con due bottiglie di spumante, gli sposi a capo tavola, stretti su una sola sedia, per loro desiderio, Giorgio cingeva Maria alle spalle. Disse:

«Però Gino ce la pagherà per quest'affronto.»

«Abbasso Gino!» gridammo. Saltò il tappo dello spumante.

Era un rinfresco di nozze nel nostro Quartiere (lo sposo sarebbe tornato al magazzino il giorno dopo): paste dolci e spumante, e quel qualcosa che si compiva del nostro breve passato e ci portava avanti nella felicità: dolori diversi, umili gioie.

Alzai il bicchiere e dissi:

«In questo fausto giorno vadano agli sposi felici gli auguri perenni di una perenne felicità da parte dei loro amici fraterni.»

Così dissi. Ho nell'orecchio le mie parole e ne colgo tuttora dal ricordo quel senso di compiaciuta vergogna che allora provai.

Giorgio chiese il silenzio. Disse:

«Io sono felice, come potete immaginare. Ma non facciamo discorsi perché non ci si addicono. Io poi dovrei rispondere e non sono capace.»

Versammo lo spumante nei bicchieri una seconda volta. Le due madri si abbracciarono scoppiando in singhiozzi, reclinando la testa l'una sulla spalla dell'altra. Gli sposi si alzarono, le quietarono con baci e parole. Poi Giorgio disse:

«Piuttosto, giacché siamo in argomento, e fra di noi, è l'ora di svelare il segreto. Arrigo e Luciana si sono fidanzati.»

Batté le mani e aggiunse:

«Ora fanno il viso rosso, ma questa è la verità.»

Luciana sorrise, si fece indietro con la sedia in un moto istintivo:

«Oddio, cado!» disse. Si tenne alla tavola per riprendersi.

Aveva il volto raggiante, colorito alle guance, i folti capelli compressi nelle trecce, che ora pettinava a cercine. Le orecchie, così scoperte, erano piccole e quasi trasparenti, con appese due buccole rosa. Maria andò a baciarla; ed anche Olga, nel suo celeste, la baciò dalle spalle. Marisa ebbe un singhiozzo alzandosi a sua volta, ma Luciana la prevenne; girando intorno alla tavola e andandole incontro, l'abbracciò. Già Marisa rideva, coi bianchi denti scoperti, disse:

«Che stupida sono! M'era proprio venuto da piangere!»

La madre di Arrigo era in quell'istante una donna affranta da una gioia inconsueta. Col cuore che le doleva nel respiro, gli occhi arrossati, accolse Luciana e se la strinse al petto.

«Fate così presto, ragazzi!» disse. Poi chiese: «La tua mamma che dice?».

Strinsi la mano ad Arrigo e poi a Luciana; ci guardammo lealmente negli occhi, ci scambiammo auguri.

Dalle scale udimmo Gino gridare:

«Arrivo, arrivo!» E subito batté forte alla porta.

Fu accolto da un subisso di urli, di affettuosi rimproveri. Era ansante come per una corsa, e similmente eccitato. Sudava.

«Sono in ritardo, lo so. Arriverò sempre in ritardo nella mia vita» disse. Si sedette a capo tavola, e gli sposi gli fecero gli onori. Maria gli tolse il fazzoletto dal taschino, glielo porse, disse:

«Prima asciugati il sudore. Poi parla e fai gli auguri.»

Gino si calmò un poco dell'affanno, cercò scusarsi:

«Ero lontano. Il tram non passava.»

«Va bene» gli disse Giorgio. «Cosa vuoi giustificarti? Bastava del resto, che tu avessi lasciato qualsiasi altro impegno per stamani.»

«Già, ma non ho dormito a casa. Ossia sì, ma mi sono dovuto alzare presto. Avevo detto che mi svegliassero ma se ne sono dimenticati.»

Giorgio lo colpì scherzosamente sulla nuca. Versandogli lo spumante, gli disse:

«Senti, che tu continui ad infilare bugie mi sembra un po' troppo. Sei arrivato in tempo per scolare le bottiglie, cosa vuoi di più?»

«Non soltanto» disse Gino. «Ma ho portato anche il regalo.»

Cavò dalla tasca un orologio da polso.

«Vedere, vedere!» dicemmo Carlo ed io.

«Sì, è d'oro» rispose Giorgio. «Un regalone!»

Gino si stava voltando verso lo sposo col bicchiere alzato, forse con l'intenzione di un brindisi, ma il suo gesto fu brusco, non fece in tempo ad evitare Maria che gli passava di lato. Lo spumante si rovesciò sul vestito di Maria, il tajer grigio e la camicetta ricamata da Luciana ne furono bagnati. Marisa gridò:

«Non macchia. Fa allegria.»

XVI

E se vi parlo di bontà, di fede e di affetti, fra le mura delle nostre case chiazzate d'umido, odoranti di cinabrese? Siamo gente consumata da servaggi e fazioni; scontiamo colpe secolari, nostre per quanto v'è di somigliante, nei nostri tratti, con le figure che ci contemplano dalle pareti del Carmine, affrescate da Masaccio. Eppure nel sangue della prima giovinezza v'è una pesantezza che si ripercuote nei gesti e li immiserisce; le nostre parole sono velate da un'allusione che lasciamo a noi stessi irresoluta, e i nostri sentimenti sono semplici ed eterni come il pane, come l'acqua che spicca dalla fontanella e ci disseta senza che ne percepiamo il sapore. Ora che abbiamo vent'anni, incominciamo a dirci che una ragione c'è, per cui viviamo. Il nostro segreto consiste nell'ascolto confuso che ognuno di noi fa dentro se stesso di questa ragione che gli sfugge. Siamo sempre assieme di nuovo, sulla soglia del *Bar San Piero*, o con le carte nelle mani e una diffusa contentezza in volto. A tu per tu con la propria coscienza, ciascuno di noi svolge la sua matassa, intricata dall'ignoranza. Con gli occhi fissi al soffitto, ricapitoliamo la nostra giornata, prima di addormentarci, e qualcosa c'è che non quadra. Il sonno ci coglie insoddisfatti. E ad ogni giorno che passa ci facciamo più accosto l'uno all'altro. Il nostro mondo, Giorgio ha ragione, si delimita sempre più fra l'Arco di San Piero e Porta alla Croce. In questa nostra confusa volontà di precluderci mentalmente altre strade e piazze che non siano di Quartiere, ci prepariamo ad una inconscia difesa verso qualcosa che è al di là e ci ha tradito. Da secoli ci ha tradito, se la memoria che noi abbiamo del padre di nostro padre è quella di una creatura morta povera e stanca in un letto d'ospedale, in un ospizio di mendicità, o ghiacciata da un malore al proprio banco d'officina, con l'ultima vite da stringere sul telaio. Nostro padre medesimo è la raffigurazione di un'inerzia che si trascina; e le nostre madri hanno uno scialle sulle spalle, sospirano vuotando il borsellino alla mattina del sabato. Noi ci teniamo più accosto, coi nostri giovani corpi. Facciamo una fila unita alle braccia, ed è tutta nostra la strada sulla mezzanotte. Cantiamo. Se passa un'automobile la fila si spezza, e il canto. Carlo grida un'invettiva all'autista che preme sul clakson reiteratamente. (Su un'auto, nel mondo oltre Porta alla Croce, si è perduto Gino, un giorno.)

Se vi parlo di bontà, fede e affetti vissuti fino all'ineffabile, voi che dite? Impariamo a capire di doverci bastare da noi stessi, di dover meditare il mondo sui nostri volti che sono la sola cosa che ci sia possibile decifrare, e riconoscere. Il nostro cuore è sprovvisto ma intatto. In esso sensazioni e gesti hanno un peso che si incide al vivo. Siamo una creta che da millenni attende di liberarsi in figure. Tocco su tocco bastiamo alle nostre povere sembianze. (Similmente, una sera di questo marzo, Arrigo indugiò un attimo di più con la sua mano nella mano di Luciana. Poi si scambiarono la buonasera come il consueto. Si addormentarono sorridendo, quella notte, nelle povere case di Quartiere illuminate dalla luna. Avevano la gola arsa per una febbre. Felici: col mondo chiuso fra le due palme che si erano premute un istante l'una contro l'altra.)

È ancora Giorgio che ci fa crescere inavvertitamente, che irrora con la sua parola e il suo esempio l'arsa terra ove stentano a sbocciare i germogli della nostra coscienza.

Giorgio era nato al Canto alle Rondini, nel cuore del nostro Quartiere. Egli aveva abitato, ragazzo, un ultimo piano: fu l'unico di noi a godersi il cielo aperto ad ogni risveglio.

Forse per questo i suoi occhi erano celesti. La casa aveva un terrazzino sui tetti, dal quale si vedeva la Cupola vicina, e il campanile di San Simone pareva potersi toccare con la mano: intronava le stanze la campana.

Il babbo di Giorgio era muratore. D'estate tornava a sera, con la giacca sul braccio, il cappello di paglia alzato sulla fronte. Stava a lungo con la testa sotto lo scroscio della cannella. Andava grondante ad asciugarsi sul terrazzino, cantando. Poi si sedeva al tavolo del salotto. Giorgio gli si metteva accanto sulla sedia e gli raccontava la sua giornata. Dal piccolo balcone aperto sul cielo uno stridio di rondini, il suono delle campane, e nella casa il buon odore del cinabrese, il refrigerio serale. La madre preparava nella cucina l'insalata di pomodori o friggeva la polenda di granoturco.

Giorgio si costruiva sera per sera sotto gli occhi di suo padre. Si protraeva nei giorni il colloquio fra un padre e un figlio che si erano riconosciuti.

Dopo cena stavano entrambi sul terrazzino, e il padre parlava al suo figliolo, gli trasmetteva coi commenti ai minimi episodi della giornata la sua umana esperienza, il suo sereno dolore del mondo. Il padre era un uomo di quarant'anni, bruno, con occhi neri e accesi, una voce amica, due braccia forti, un petto villoso. La madre, bionda, cullava l'altro figlio bambino. Gli cantava una nenia che diceva:

Nanna oh! nanna oh!
e il piccino s'addormentò...

Dal profondo delle strade perveniva l'eco di una radio. Sotto la distesa dei tetti, i riflessi delle luci. E dalle altrui terrazze, monotone voci che avevano un senso che non turbava l'aerea quiete del cielo.

Il padre diceva al figlio:

«Oggi il palazzo a cui lavoro s'è alzato di tanto.»

Il figlio diceva al padre:

«Stamani ho picchiato Carlo che voleva derubare Gino della sua parte di ciliege. Gli ho lasciato i segni sulla faccia.»

Ed una sera d'inverno (la casa era fredda, fischiava il vento sul terrazzino) padre e figlio si chiedevano a vicenda i nomi delle capitali:

«Irlanda?» chiese il padre.

«Dublino!» Giorgio rispose.

In quel momento bussarono alla porta. Erano uomini scortesi. «Polizia», dissero. Ammanettarono il padre. Rovistarono la casa per ogni dove, sbuzzando i materassi, rovesciando i cassetti come ladri. Se ne andarono scontenti, portandosi il padre.

La madre era rimasta impietrita, accosto a un muro con le spalle, il bambino attaccato al seno, tutto il tempo. Il padre baciò Giorgio, poi la moglie e il bimbo ch'essa aveva in braccio.

«Sarà nulla, penso» disse alla moglie.

I visitatori sorrisero:

«Lo pensi tu» commentarono.

Giorgio aveva allora quattordici anni, e già in segreto amava Maria. Strinse il padre alle braccia come per partecipargli una complicità.

Quando la casa tornò nel silenzio, più fredda che mai nel gelo dell'inverno, la madre cadde spossata sulla sedia.

«Ma non piangeva» ebbe a raccontarmi Giorgio anni dopo. «Era calma, quasi rassegnata, ma come più energica in volto e nei gesti. "Ora dovremo fare senza il babbo", mi disse. "Tu devi trovare da lavorare. Occorre pensare immediatamente all'avvocato." Poi si alzò, depose mio fratello sulla branda, andò fuori in terrazzo. La sentii smuovere gli embrici del tetto. Tornò in casa con in mano dei piccoli libri, e cartelle scritte da mio padre. Appunti. "Ora tu sei grande, Giorgio", mi disse la mamma. "Leggi, impara tutto a memoria per quando il babbo sarà liberato. E taci. Taci con tutti, almeno tu non sia certo di avere trovato qualcuno che gli assomigli. Dovrà avere lo stesso sguardo del babbo, e le stesse mani, immagino." Questo era allora, rispetto a voialtri amici, il mio segreto. Poi trovai Berto che aveva quello sguardo, quelle mani.»

XVII

Una sera di settembre, passeggiavamo sui lungarni, fumando. Eravamo gente fra la gente che frescheggiava al Porticciolo del Ponte di Ferro, sui barconi che andavano lenti per il fiume con l'uomo che affondava la lunga pertica nel fondo. Le nostre ragazze ci precedevano, sorelle attorno a Maria che stava per diventare madre. Marisa e Luciana al suo fianco, Olga era con loro: scuoteva di tanto in tanto la chioma bionda azzurrata di luna.

Arrigo disse:

«Chissà dove sarà Gino in questo momento.»

«In capo al mondo. Beato lui!» gli rispose Carlo. Dette un calcio a una buccia d'anguria.

«C'è da invidiarlo fino a un certo punto» disse Giorgio.

Il varietà all'aperto lasciava udire lo spettacolo: un dicitore sospirava la sua canzone. Dal banco del cocomeraio, fresco di foglie e d'anguria, si levava il richiamo: *Rosso e buono!* Passavano carrozze sul lungarno, ed auto. La gente, a gruppi, a famiglie, salutava incrociandosi. Le ragazze si erano fermate all'altezza del varietà, ascoltavano la canzone come trasmessa da un altoparlante. Dei giovanotti e fanciulli si erano aggrappati al recinto di lamiera: sporgevano dall'alto il capo sulla platea.

Ci sedemmo sulla spalliera del fiume, con l'occhio alle ragazze. Fumavamo.

Giorgio disse:

«Gino è perduto, e così sia. Ma io non gli rimprovero tanto il vizio quanto il come si è perduto. Voglio dire che ha voluto avere una cosa senza conoscerla e senza meritarla, e sciuperà tutto. È come se qualcuno mi regalasse una cassa dove so che c'è una radio e io non avessi le tenaglie per schiodare la cassa. Nel caso di Gino dentro la cassa c'era il mondo, cioè altre città, altre conoscenze, la bella vita insomma. Ma lui non sa da che parte si comincia, non ha le tenaglie in una parola. E la cassa, il mondo, gli resterà sempre chiusa. Si sbuccerà le mani cercando di aprirla, la batterà contro il muro e quando l'avrà sfasciata troverà di avere sfasciato anche la radio.»

«Però» disse Arrigo. «Chi ti dice che non sappia anche lui trovare le sue tenaglie?»

«Oddio, potrà trafficare perché l'intelligenza non gli manca, ma per forza di cose si caccerà sempre in affari loschi, e prima o poi si spezzerà la testa.»

«Non bisogna veder tutto nero» disse Carlo. «Si può anche pensare al mondo, cassa o non cassa, come a un'avventura che ha probabilità di finir bene.»

«Ma per fare questo occorre almeno l'astuzia, che Gino non ha» replicò Giorgio. «Insomma, bisogna avere l'anima del filibustiere, mentre Gino è uno che s'intimidisce appena gli fai la voce un po' grossa. Altra cosa giocare una carta avendo contato quelle che sono uscite, altra cosa è rischiare il sette di battuta.»

«Ma prendi, ad esempio, i siciliani che vanno in America,» dissi io «anche quelli vanno alla ventura.»

«Scherzi tu, le tenaglie che ha in mano quella gente! Sanno fare cento mestieri. Sono abituati a mangiare pane e cipolla da quando sono nati.»

Tacque un istante. Accese una sigaretta. Riprese:

«Gino non ha né arte né parte, ma soltanto delle cattive abitudini. Soprattutto questo io gli rimprovero. Di essere andato nel mondo senza prima essersene fatta una ragione.»

Sentivamo una verità nelle sue parole. Al di là delle nostre figure, del ricordo di Gino, qualcosa ci isolava nel nostro ragionamento, come quando in cielo s'accende una luce, balena, e il tuono tarda, e restiamo sospesi. Eravamo Giorgio ed io seduti sulla spalletta, Carlo e Arrigo stavano appoggiati al parapetto. Io dissi:

«Ma in questo modo tu rinunci a tutte le illusioni. Se non ci fossero delle speranze ci potremmo tirare un colpo di rivoltella.»

«Avere delle speranze, hai detto, non soltanto delle illusioni. Guai, a non avere delle speranze. Ma le speranze sono dentro di noi, ce le coviamo giorno per giorno, le rifiniamo come un imballaggio, col *fragile* e tutto. Eppoi, come nascono le speranze?»

«E chi lo sa!» disse Carlo. «A un certo momento si comincia a desiderare una cosa.»

«Allora è un'illusione, più o meno forte ma sempre un'illusione, perché la speranza ti nasce dentro a poco a poco ed è un fatto che ti porta a riflettere. Poniamo che uno abbia sete: secondo l'illusione vede acqua da tutte le parti e lecca un muro perché gli sembra una cascata. Secondo la speranza invece egli ragiona e cerca d'indirizzarsi verso un luogo dove sa che esiste una fontana. Può cadere stecchito dalla sete lungo la strada, ma era diretto verso la fontana.»

Con un'ultima boccata gettò la cicca che gli bruciava i polpastrelli.

Carlo disse:

«Sì, l'affare dell'acqua, d'accordo, ma mettiamoci nel nostro caso particolare. Cosa si spera? Di migliorare fabbrica, di farci una famiglia, insomma una speranza abbastanza normale. Ora, poniamo che quella di Gino sia un'illusione, sarà un'illusione senz'altro, ma è fuori dubbio che Gino si leva soddisfazioni ben diverse dalle nostre. E se ánche un giorno si troverà male, si troverà sempre poco peggio di noi, e almeno avrà qualcosa da raccontare.»

«Ma...» fece Giorgio.

Carlo lo interruppe:

«Sì, lo so, perché si è cacciato in quel giro di pervertiti. Ma se invece fosse partito con un'amante, una donna ricca, tutto quadrerebbe.»

Giorgio si mise le mani sotto le cosce, il busto teso in avanti. Con un tono di voce come di chi è scontento di sé, disse:

«Intendiamoci, qui si fa per parlare. Per me personalmente, anche se fosse andato via con una donna, sarebbe lo stesso.»

Arrigo intervenne:

«Secondo chi l'ha visto, pare invece sia partito proprio solo.»

Giorgio gli batté una mano sulla spalla, sorridendo.

XVIII

Cessate le canzoni per la fine del primo tempo dello spettacolo, le ragazze ci vennero incontro. Parte del pubblico usciva sul piazzale raggiungendo il banco del cocomeraio. Dal
barcone sul fiume si udì un grido di donna impaurita del rol-
lio, risa commentarono quel grido. Le ragazze si sedettero
anch'esse sulla spalletta, parlavano del corredo per il nascituro. Rivolta verso di noi, Marisa disse:

«Che è? Giorgio tiene la conferenza?» Rise.

Io dissi a Giorgio:

«Credo di capirti. Vuoi dire che comunque Gino avrebbe
fatto il passo più lungo della gamba e in qualsiasi caso sarebbe su un piano d'immoralità. Ma questo a parte, caro mio,
chi non osa non dosa.»

E siccome egli taceva, guardandomi coi suoi occhi celesti,
e pure gli altri due amici tacevano, continuai:

«Ti parlavo dianzi degli emigrati e tu giustamente osservi
il fatto delle tenaglie. Ma anche con cento mestieri sulle
braccia, quanti di loro sono finiti male rispetto a quelli che si
sono arricchiti?»

«Siamo d'accordo» rispose Giorgio. Gradatamente si animava ancora una volta, faceva gesti con la mano parlando:
«Siamo d'accordo. Ma l'hanno fatto certamente dopo essersi
guardati bene attorno, dopo aver cercato la speranza in tutti
gli angoli delle loro strade. E non trovando più un goccio
d'acqua che li dissetasse hanno cercato più in là. Chi ti dice

che oggi o domani io stesso non decida di far fagotto, prenda in collo il bambino che deve nascere e mi trascini dietro Maria per il mondo? Ma prima debbo convincermi bene che qui non c'è più speranza, che non c'è più un buco dove respirare. Finché fra via de' Pepi e il magazzino trovo ancora un po' di luce, mi sento bene a viverci dentro. Eppoi, ci siete voialtri, Berto e qualcun altro. Io l'amicizia la concepisco sul serio. È come quando si cammina e uno incespica e sta per cadere, chi è più vicino istintivamente lo aiuta a rimettersi in equilibrio. Io vi voglio bene.»

Gli occhi celesti brillarono e un sorriso illuminò la sua faccia.

«Fesso che sei!» gli dissi. Avrei voluto abbracciarlo, gli misurai un pugno alla mascella. Poi dissi:

«Ma si tratta anche, a un certo momento, di migliorare la propria condizione.»

«E chi ti impedisce di farlo qui? O qui o a Milano o a Napoli è lo stesso. Pensa quanti napoletani credevano di potersi fare una posizione per il semplice motivo di essersi trasferiti a Milano, e viceversa. Ciò è accaduto perché non hanno avuto abbastanza tenacia da resistere nella loro città. Quella sarebbe stata una vittoria davvero, e che fosse possibile lo dimostra il fatto che qualcuno venuto di fuori è riuscito veramente ad affermarsi. Fuori si manda il nostro lavoro e gli altri ci mandano il loro. Insomma, a me pare che occorra resistere nella propria casa, nel proprio Quartiere, aiutare e essere aiutati a migliorarci fra la nostra gente. Se si stesse ciascuno al proprio posto, che è sempre il posto che ciascuno conosce meglio, si sarebbe meno complicati. Non dico mica di non uscire dal guscio, ma almeno conoscere bene il proprio prima di entrare nel guscio degli altri, se no come si fa a giudicare se è meglio o peggio del nostro? Vedere il mondo naturalmente, che scherziamo! Ma per divertimento, perché insegna sempre tante cose. Lo sapete, del resto, che se io ho imparato un mestiere e mi sono attaccato al magazzino, è stato proprio perché al magazzino avevo la possibilità di accompagnare ogni tanto i camionisti in un viaggio, e vedere città nuove.»

Ora parlavamo con più agio: la consueta confidenza si era ristabilita fra noi. Al di là delle nostre parole ci sentivamo capaci di un fatto concreto, come se un busto, o un'ingessatura, che ci aveva tenuto stretto il petto lungo tempo, finalmente avesse ceduto. Diversa era l'aria che respiravamo nella sera di tarda estate: anche i nostri gesti e le nostre voci si manifestavano spontanei e liberi. Pensando alla nostra convivenza degli ultimi tempi, la sentivamo come relegata in un passato di minorità. Era emerso, attorno alle parole di Giorgio, un fascino che accelerava volontà sopite. Parlavamo, seduti o addossati alla spalletta del fiume, e propositi fiorivano nelle nostre menti, dedizioni, entusiasmi. Le nostre stesse case, appena dietro gli alti palazzi che costeggiavano il lungarno, così prossime dunque, l'intero nostro Quartiere, alla fermata successiva del tram, emergevano da un alone che illuminava le scale buie, rallegrava le mura grigiastre, infiorava di gerani doviziosi i davanzali. Ma come era riuscito a infonderci il suo calore, la sua virtù, semplicemente, altrettanto semplicemente Giorgio ci restituì ai nostri dubbi, alla nostra oscurità. E i suoi occhi lo stesso brillavano celesti. Come seguendo un proprio pensiero, egli disse:

«Ma è a questo punto che bisogna guardarsi, perché il nostro sudore non ce lo rubino gli altri e lo trasformino in villini per i loro comodi, e in leggi che ci sono contro.»

«Beh!» disse Carlo. «È un altro discorso. Ricchi e poveri ci sono sempre stati. Nessuno di noi vuoi diventare proprietario. L'abbiamo già detto: questa sì che sarebbe un'illusione!»

«Già» disse Giorgio. E saltò giù dalla spalletta.

Distogliendoci dal nostro conversare ci accorgemmo che le ragazze stavano ascoltando. Maria sussurrò:

«Le idee di suo padre.»

Nemmeno Marisa trovò il suo sorriso.

XIX

Alla domenica ci riunivamo in casa di Giorgio e di Maria, nel pomeriggio. Si toglievano il tavolo e le brande dal salotto, si collocava il grammofono su una sedia in un angolo, e ballavamo.

Maria metteva un disco dopo l'altro. Aveva il ventre gonfio e il volto smagrito, i capelli tirati sopra le orecchie, fermati da un nastro celeste, lo sguardo smorto e soddisfatto. Tutta la sua figura era adagiata nella maternità, con un senso di pena goduta. Si provava in un tango guidata da Giorgio, senza mai concluderlo per l'affanno. Ad una cert'ora ci faceva la sorpresa di una bevanda preparata con tamarindo in grappoli: lo versava dalla caraffa entro la quale galleggiavano pezzetti di ghiaccio. Coi bicchieri in mano, accaldati e contenti, poggiati ai davanzali delle finestre, seduti sulle sedie o sulla sponda del letto nella camera degli sposi, indugiavamo. Il grammofono girava la canzone che piaceva a Luciana:

> Meglio! dire tutto con bacioni –
> mille!
> Bella! venditrice di banane –
> gialle!

Arrigo ed io arrivavamo in ritardo, assieme a Marisa che ci aveva accompagnati allo Stadio per assistere alla partita di calcio. Luciana di solito era un poco imbronciata: Arrigo l'attirava nella piccola stanza d'ingresso. Rientravano poco dopo rappacificati, col segno di uno scambio di baci nelle pupille.

Posate in fila per terra, a ridosso della parete, nella camera, stavano le forme di legno che reggevano cappellini da donna, ai quali Maria lavorava con l'aiuto di Luciana, che aveva lasciato il Bazar e trascorreva gran parte della giornata in casa della futura cognata. La madre di Maria era assente quasi sempre, la domenica: in visita da mia nonna al piano sottostante, oppure dalla madre di Luciana.

Berto era diventato amico di tutti noi, non di Giorgio soltanto. Spontaneo nei gesti, facile di parola, uomo fatto fra ragazzi cresciuti, egli era il nostro centro di attrazione, e insieme il giudice ascoltato ed imparziale delle nostre divergenze sentimentali, dei nostri incerti progetti. Aveva per ogni argomento un aneddoto personale da inserire nel discorso, e volgerlo all'ironico: le cose che diceva, come le diceva, e la sua faccia cordiale, ispiravano simpatia. Per Giorgio manifestava un attaccamento fraterno, quasi una devota sottomissione, che acquistavano maggior significato per il fatto di venire espressi da una persona provata dalle esperienze. Berto abitava Oltrarno. Sapemmo che era fidanzato da molti anni con una certa Jolanda, ma non ce la fece mai conoscere: presto capimmo che il suo amore era finito da tempo, lo legava ormai soltanto un'abitudine, o forse v'era da parte della ragazza una dedizione tale da inibirgli il coraggio di una rottura. Ci aveva mostrato una fotografia di Jolanda: un volto di ragazza presto sfiorita, con una massa ondulata di capelli sicuramente neri, e labbra fortemente disegnate.

«Faccela conoscere, portala qualche domenica» gli avevamo chiesto.

«Chissà, una volta o l'altra. Ma ha tanto da fare in casa, la domenica, che non si decide mai ad uscire» rispondeva cambiando discorso. Se Giorgio interveniva, bonario, dicendogli: «La colpa è tua, lo ammetti?» Berto gli rispondeva in fretta, sostituendo il disco o invitando una ballerina: «Sì, va bene. Ormai questo fatto l'abbiamo chiarito abbastanza, non ti pare?».

Anche Argia, da quando le era morto il bambino, ci raggiungeva molto spesso: si lagnava del marito che la trascurava per l'osteria. Era come ringiovanita, florida dopo l'allattamento infelice, simile a un frutto usuale e maturo. Berto ballava volentieri con lei:

«Fra noi anziani» le diceva.

Argia protestava, porgendogli le braccia:

«Se a trent'anni ci si chiama anziani!»

«Non vede che Olga ci guarda scandalizzata?»

«Poveretta!» diceva Argia. E lo trascinava accelerando la *figura*. Berto le stringeva forte, con intenzione, la mano attorno alle reni.

Fu l'amicizia di Berto, e il suo contegno spregiudicato con Argia, che mi indussero a un esame di coscienza.

Erano passati due anni dal giorno della grotta. Marisa era diventata la mia promessa sposa, anche i miei la conoscevano e ne erano contenti. La nonna era stata conquistata dalla sua grazia spigliata, dal suo femminile interesse per la casa, e mio padre vedeva in lei la giovanile allegria, le sue esplicite doti di ragazza. «Credo che hai scelto bene, Nano» mi aveva detto.

Dapprima io avevo creduto di amare Marisa. Il mattino che seguì il nostro colloquio al Parco della Rimembranza (il nostro amore che fu consumato ancor prima che espresso) destatomi all'alba, avevo fantasticato ad occhi aperti su quanto era accaduto. Intuivo di essermi assunto troppo frettolosamente una responsabilità alla quale non ero preparato; ne avevo nelle membra il timore, come di un colpo che, già vibrato, stesse per raggiungermi. Eppure ragionando (e traverso i vetri rosati dal sole la stanza si disfaceva delle ombre notturne) Marisa mi appariva innocente ed amabile. Mi rifacevo all'esempio di Giorgio e di Maria per distrarre i miei scrupoli e giudicarli indegni. Tuttavia nei mesi che seguirono, e durante i quali Marisa mi si svelò in tutta la sua bontà e in tutto il suo amore, io fui combattuto da questo strano contrasto fra desiderio e malintesa morale.

Vicino a lei io ero contento. Essa si premeva al mio fianco e il suo contatto mi eccitava. Persuaso, le passavo il braccio dietro la vita, raccoglievo sopra le vesti il suo seno nella mano, le partecipavo la mia felicità. Camminavamo per le strade solitarie del Quartiere, nella sera, sui viali: l'accompagnavo al Viuzzo sconvolto dai carri, fin sulla porta di casa. Ed a tarda pri-

mavera scendevamo l'argine dell'Affrico in secca, ci stendeva-
mo fra l'erba, sotto il passaggio a livello: v'era canto di grilli,
voci di gente sulla strada. Passavano treni al di sopra delle nostre teste, e noi ci stringevamo forte fingendoci la paura. Ma
allorché rientravo, solo, nel Quartiere, provavo una specie di
distacco dall'amica. Ogni volta gioivo di una crudele soddisfazione, quasi avessi simulato un atteggiamento per carpirle il
piacere. Mi sentivo vile e soddisfatto insieme.

Finché mi parve di capire che il motivo del mio disagio
fosse Carlo, con la sua involontaria testimonianza di un passato che comunque mi adombrava. Avvenuto il chiarimento
con Carlo, introdotta definitivamente Marisa fra gli amici,
fatta conoscere ai miei, io avevo creduto di amarla veramente. Ci saremmo dovuti sposare al mio ritorno dal servizio militare. Ero anche stato a casa sua. La madre mi aveva accolto
come un figlio, col riserbo e la trepidazione, la severità affettuosa, che ha una madre per un figlio diventato uomo.

Due anni erano passati. Adesso ero io a bussare con le
nocche ai vetri della finestra di Marisa, ed essa veniva ad
aprirmi la porta in punta di piedi, mi accoglieva nel suo letto
di ragazza: soffocavamo bocca contro bocca la nostra amo-
rosa vitalità. Ma l'intimità di cui abusavamo, invece di legar-
mi a Marisa, lentamente mi distaccava da lei. La nostra confidenza volgeva nell'abitudine. Marisa era sempre docile e
cara, ma qualcosa su cui io avevo creduto poggiare il mio affetto oscillava sotto i miei piedi: non v'era più nulla di segreto che essa mi potesse svelare. Ora capivo che avevo creduto
di amarla per il suo sperperato donarmisi corpo ed anima.
Quando essa arrivò al limite del suo segreto, mai da me ali-
mentato, il suo ripetersi mi annoiò. Io non le avevo dato nulla di mio, non avevo partecipato a quello scambio inesausto
e ineffabile ch'è l'amore partecipato e corrisposto; ed ero
giunto al punto in cui guardavo al suo amore come a una do-
lorosa rappresentazione, che non mi toccava se non nel momento in cui i miei sensi mi spingevano alla ribalta. Nuovamente si riproponeva la mia condizione fra desiderio e
malintesa morale. Già progettavo di staccarmi da lei durante
il servizio militare, già meditavo la lettera che le avrei scritta.

XX

Nel corso della giornata mi accadeva spesso di pensare ad Olga. Tornando a sera dall'avere accompagnato Marisa, con ancora addosso il suo odore di colonia e nel cervello l'eco della sua risata importuna, facevo un largo giro dell'isolato fra Borgo Allegri e via dell'Ulivo per passare sotto le finestre di Olga. A volte fischiavo chiamando Carlo, ed ero contento se invece del fratello era Olga a rispondermi dalla finestra.

«Carlo non è tornato ma dovrebbe star poco. Vuoi salire ad aspettarlo?»

Accettavo l'invito. Essa era indaffarata in cucina. Aveva un grembiule di colore, infilato al collo e legato alla cinta; mani e braccia bianche, esili. La massa dei biondi capelli le ricadeva sulla fronte, essa li ricacciava indietro con una mossa vezzosa della testa che m'inteneriva. Io la seguivo in cucina, fingendo d'interessarmi, scoperchiando la pentola: la infastidivo allegramente.

«Sei una massaia coi fiocchi» le dicevo.

«Togliti perché mi dai noia» rispondeva, minacciandomi col mestolo, battendo i piedi. Il suo volto ridente sembrava già avermi perdonato.

«Vuoi restare a mangiare un boccone con noi?»

«Certo, bellezza. Perché credi sia salito?»

Essa era alta e snella per i quindici anni appena compiuti. Aveva il volto pallido, soffuso di quella patina dell'adolescenza che è come un pulviscolo d'oro e di luna cosparso sulle sembianze, impossibile a dirsi. Gli occhi grigi acciaio infossati nelle orbite, davano al suo sguardo un che d'infantile dispetto. Il naso delicatissimo, come ambrato, sulle labbra che erano naturalmente rosse e scoprivano i denti piccoli e fitti. Una scialbatura di efelidi agli zigomi trascolorava sull'avorio vivo della pelle. Era bella e innocente, vergine in ogni atteggiamento, in ogni espressione. Tutte le sue parole, anche le più consumate e proverbiali, acquistavano un sapore di schiettezza, tanto si avvertiva la persuasione che le ispirava.

Io non sapevo ancora di amarla; mi piaceva trovarmi solo con lei, per il senso di riposo che la sua presenza mi recava. Parlando con Olga ogni dissidio si placava: e Marisa era smarrita nella nebbia che cadeva a sera sui viali. V'era, nella figura di Olga, un senso di freschezza e di raccolto candore.

Ora che la madre era partita (per ricostruirsi una esistenza o forse per accumulare gli ultimi orpelli) Olga era la padrona della casa. Nella camera della mamma si era sistemato Carlo. Olga dormiva ancora in salotto, sulla branda celata dietro una specie d'alcova che aveva una tenda a fiorami aprentesi a sipario. Essa aveva trovato da occuparsi in una fabbrica di dolciumi: rivestiva di carta argentata i gianduiotti, guadagnava cinque lire al giorno. Ma Carlo già percepiva la paga di operaio dalla segheria.

La casa era pulita e in ordine: le tendine bianche alle finestre e il centrino ricamato sul tavolo. Tornando nel tardo pomeriggio, Olga preparava la cena, cuoceva qualcosa, o qualcosa comperava, da mettere in mezzo al pane per la prima colazione dell'indomani. I loro guadagni gli bastavano. Carlo eseguiva dei lavori per conto proprio, come una cassa o una sedia da riparare: non gli mancavano mai le sigarette, i soldi per il cinema e per la partita a ramino. Di tanto in tanto la madre, malgrado le loro proteste, gli inviava del denaro che Olga conservava.

Sulla madre Olga non esprimeva mai un giudizio, attaccata ad essa da un affetto che non ammetteva la minima parola di biasimo. Scambiava con la madre lettere affettuose, le rendeva conto della propria giornata, delle piccole novità di Quartiere, dei propri dispiaceri di massaia, chiedendole consigli e sollecitandole rimproveri. La madre dava di sé buone notizie, divagando sulla città dove abitava: Milano; la istruiva sulla casa, chiudeva le lettere inviando la benedizione. (Sul piano della consolle, in una cornice dorata, v'era il suo ritratto che la raffigurava in un atteggiamento sfrontato nella faccia dipinta: sovrastava la sua immagine, appeso al muro, un ingrandimento del marito defunto, in uniforme di soldato.)

Olga rappresentava la mia quiete, il mio inconfessato segreto, quanto Marisa significava un fastidioso peccato, la mia colpa di uomo perpetua nei giorni. L'intimità con Marisa mi aveva colto adolescente, accendendomi di appetiti precocemente moltiplicatisi: agivo ormai verso di lei con palese ingiustizia, praticandola come il più cinico degli amanti: le sue effusioni mi annoiavano ed anche la sua allegra risata mi suscitava un sentimento di rancore. Ma possedere Marisa era diventato un quotidiano bisogno che se insoddisfatto mi abbatteva smanioso nel letto. (E se in una di quelle sere mancate mi ero ritirato a casa per tempo, la mia agitazione si accresceva. Soggiacendo a una lotta poveramente combattuta contro il desiderio, mi alzavo con ansia, racimolavo i resti delle economie settimanali, infilavo la soglia della casa di via Rosa: ne uscivo deluso del rapido amplesso, avvolto da uno sporco odore che vieppiù mi eccitava.)

Ma tutto ciò trovava il suo riscatto vicino ad Olga. Se per un attimo mi sovveniva dei miei eccessi notturni, mentre parlavo con Olga fra salotto e cucina, arrossivo tutto solo, ingoiavo saliva come per nascondere così facendo una cattiva azione. I nostri colloqui erano liberi da ogni recondito significato. Solo una sera avevo azzardato:

«Ora che sei cresciuta e sei così bella, se qualcuno si innamora di te, tu che fai?»

Mi rispose la sua voce dalla cucina:

«Se anch'io lo amo gli dico di sì».

«E non t'è successo finora?»

«Finora no.»

«Non dico da parte tua. Ti domando se qualcuno ti si è dichiarato.»

Essa venne sulla soglia di cucina, accaldata in faccia dalla vampa del fornello; si puliva le mani al grembiule.

«Perché? Ti sembra che non sia bella abbastanza da fare innamorare?» disse. Distolse con l'avambraccio una ciocca di capelli che le cadeva sulla fronte; i suoi capelli biondi!

«Perdìo se puoi fare innamorare!»

«Ah, credevo!» essa disse. Schiuse le labbra in un furbo sorriso.

Mi alzai dal tavolo e la raggiunsi in cucina. Essa girava la polenda, che bolliva schioppettando dentro la pentola; si scuoteva tutta alle spalle in quella fatica.

«Dimmi, dimmi» le chiesi.

«Torna di là.»

«No, dimmi, su.»

«Certo, che ne ho trovati di scocciatori.»

«E tu, nulla?»

«No» essa rispose, quasi con risentimento, e insieme con ironia. «Bada» aggiunse «che se mi fai attaccare la polenda peggio per te.»

E a Carlo che sopraggiunse poco dopo, essa disse maliziosamente:

«Non credere che Valerio sia qui per la polenda. Viene per farmi la corte.»

Arrossii mio malgrado, ma liberandomi anch'io nello scherzo, dissi:

«Proprio per questo salgo, la sera, cosa credevi?»

XXI

Il pensiero di Olga fu dominante nella mia mente, giusto in quei mesi in cui Maria portava a termine la sua gravidanza e Luciana preparava il suo corredo di sposa. (Siccome era stato riformato per difetto cardiaco, Arrigo aveva deciso di sposare Luciana la primavera seguente: ora che Arrigo era diventato lavorante fornaio, e guadagnava più di tutti noi, non c'era motivo, se si volevano bene, di ritardare le nozze.)

Un pomeriggio di settembre (penso, una settimana dopo la sera in cui Giorgio ci aveva parlato della sua oscura speranza) ero andato come al solito a prendere Marisa al Bazar. Essa era da un po' di tempo risentita verso di me: lo avvertivo non tanto dalle sue parole quanto da un'impercettibile e pur certa repulsione nell'accettare le mie eccitate carezze, dei pretesti ch'essa trovava per non accogliermi nella sua casa come di consueto.

L'avvio alla spiegazione cadde fortuitamente, a causa di un'automobile che sopraggiungeva veloce davanti a noi mentre traversavamo via Ghibellina tenendoci a braccetto. L'auto ci fu quasi a ridosso e noi eravamo rimasti fermi e indecisi nel mezzo della strada, impacciati dalle nostre braccia, in un impulso di reciproca difesa. Per un nulla non venimmo investiti. Ci rimproverammo a vicenda l'attimo di perplessità che ci aveva fatto correre il pericolo. Di parola in parola arrivai a dire:

«Insomma, hai cominciato a seccarmi, sempre fra i piedi.»

Proseguimmo il cammino l'uno accanto all'altra, come estranei, nemici. Poi essa disse:

«Se questo doveva essere il pretesto, allora è meglio vuotare il sacco e smetterla con la finzione. Tu non mi vuoi più bene, e forse non me ne hai mai voluto.»

«Ricorri al dramma, ora!» risposi.

Ma essa mi fermò prendendomi al braccio con la mano. Con una volontà precisa nello sguardo e nella voce, Marisa disse:

«No, Valerio. Parliamoci una volta per sempre. Non ti faccio nessun rimprovero. Sono stata io a cercarti. Tu non hai pronunciato una parola che veramente mi facesse capire che mi amavi. Dalla sera famosa ad oggi siamo andati avanti a furia di vezzi e di moine. Forse tu l'hai fatto per pietà, non so, certo che questo mi offenderebbe molto. Voglio almeno sperare che tu l'abbia fatto per avere una amante, in questo caso salverei il mio orgoglio.»

Io fui vile fino in fondo, irresoluto ad assumermi una responsabilità e in cuor mio contento che il momento decisivo fosse arrivato.

«Affermi tutte insieme cose che non pensi» dissi.

«Oh, ti capisco! Vuoi che non ti capisca, dopo che per due anni siamo stati vicini giorno e notte, e ora per ora siamo cresciuti in questi due anni più di tutta una vita? Tu pensi che io cerchi di costringerti ad una decisione. E questo mi prova lo sbaglio che ho fatto a volerti bene. Ho immaginato sì, per un certo tempo, che ci saremmo potuti sposare come Maria con Giorgio, come farà Arrigo con Luciana. Ma era un sogno da cui mi ricredevo non appena vedevo con quanta insistenza tu cercavi quel momento... Sono andata avanti così, per disperazione, sapendo di non avere più via d'uscita. Ed è stato con un gusto amaro che ho continuato.»

Io ero turbato della sua sincerità, del suo tono commisto di pietà e di offesa. Ebbi la certezza che Marisa si era staccata definitivamente da me a mia insaputa, la sentii avversa. Un senso di dignità, puerile e indegno, mi possedé: che fosse lei a lasciarmi, mi umiliava. Fui ironico, cattivo:

«Allora, agendo come ora agisci, non fai altro che anticipare la tua fine» le dissi.

«Ecco. Così sei sincero. Ma io sincera lo sono sempre stata, non ora soltanto. E devo dirti che ho ritrovato ciò che credevo di avere perduto per sempre. Ho ritrovato fiducia in me stessa. È accaduto qualcosa in questi ultimi tempi di cui tu avresti potuto accorgerti se veramente mi amavi e avessi saputo leggermi dentro. Qualcosa, anche, che se tu mi avessi amata davvero, avrei dovuto farmi perdonare.»

«Cosa?» dissi; e involontariamente, con un gesto che mi fu dettato dall'istinto, le torsi una mano. Essa si piegò sotto la stretta, disse:

«Lasciami. Camminiamo, piuttosto. Non alzare la voce perché richiamiamo gente.»

Il suo volto, indurito nella determinazione, mi sembrò brutto, ostile. Indossava un vestito leggero, celeste a pallini bianchi e stretto da un'increspatura che le spartiva il seno. Anche il suo corpo mi parve da rifiutarsi, con un senso di rancore mi ricordavo di averlo posseduto. Essa riprese:

«Ci sia o no un altro, questo non ti deve più importare. Ma siccome ci dobbiamo dire addio, ho bisogno di sentirti sincero, almeno una volta. Forse avrò da chiederti una grande carità, ed occorre che tu mi prometta che sarai leale in quella occasione.»

Marisa mi parlava adesso piegando la sua voce a una dolcezza diversa dalla consueta; come si chiede docilità ad un bambino irrequieto facendogli balenare un castigo, così mi parlava. Ma v'era nella sua voce un segno indefinibile di trepidazione. Io mi stavo assuefacendo all'idea di perderla, siccome era anche il mio desiderio; subentrava una distensione dei nervi che mi permetteva di considerare le sue parole come una facile offerta di commiato che non dovevo lasciarmi sfuggire. Le dissi:

«Se dobbiamo persuaderci su questo piano, io ti prometto tutto ciò che vuoi.» Poi aggiunsi: «Vedi? Io non mi offendo. Ti ho voluto bene. In un modo ingiusto tu dirai, non ti so rispondere; penso se non passava quell'automobile, quanto avremmo continuato!».

Andavamo per via Ghibellina, costeggiando il lungo muro del Carcere; i secondini di sentinella ci fecero scendere dal marciapiede. Marisa mi aveva preso a braccetto, ma il suo fianco era adesso discosto dal mio. Davanti, si apriva il verde dei platani del Viale.

«Stasera ti avrei parlato comunque» essa rispose.

Io le toccai la mano posata sul mio braccio. Le dissi:

«Sei una strana ragazza. È forse perché non ti ho capito che ti ho fatto soffrire e ti ho offesa.»

«Tu non mi hai fatto nessun male, Valerio. È stato perché ho avuto te vicino, se in questi due anni sono riuscita a superare tante cose e a far chiaro nella mia anima. Un giorno, forse presto, saprai tutto. Ma non credere che non resti sola. Anch'io non devo averti amato se è vero ciò di cui mi sto accorgendo dentro di me.»

«Cosa?» ripetei.

«Non posso dirtelo ora.»

Nella sera estiva il cielo era azzurro sopra di noi; una luce rosa bagnava le case, avvolgeva il muro giallo del Carcere. Ci facemmo a ridosso del marciapiede per il tram che passava, quasi stretti. Il suo odore di colonia mi sfiorò senza turbarmi. Sul Viale incontrammo il giocoliere che aveva a tracolla la cassetta; i cagnolini lo seguivano con il moto rapido delle zampe, abbaiando.

Io dissi a Marisa:

«Certo, stasera è accaduto qualcosa d'importante che può cambiare tutta la nostra vita.»

«Credi? Questo ti volevo chiedere.»

«Ora mi sembra che quando apro bocca tu sappia già quello che voglio dire. Giudicami male, eppure sono tranquillo. Penso all'errore che avremmo commesso se ci fossimo sposati.»

Essa si soffermò; si provò nella sua risata, inutilmente. La sua voce recava l'indizio di una riposta amarezza, ma il suo sguardo era calmo.

«Io lo capii quasi subito che non ci saremmo sposati» disse. «Ne ero talmente sicura che una volta che temetti di essere rimasta incinta feci di tutto per evitarlo.»

Ebbi una sensazione come di freddo, forse sussultai. Poi dissi:

«Poteva cambiar tutto sul serio.»

«Appunto per questo. Non volevo rimediare con un errore all'errore, dicendotelo allora. Eppoi, no, dovetti essermi sbagliata perché fu troppo semplice.»

Era di nuovo franca e sicura. Compresi la volontà e il distacco che la muovevano, allorché, dubitando con la sua confessione di aver favorito un mio ritorno di tenerezza, alzò di un tono la voce, disse:

«Non trattenerti nemmeno un attimo su questo fatto perché non conta nulla.» Aggiunse: «Fra un anno andrai soldato e vedrai come le cose muteranno aspetto. Del resto, avrai già messo gli occhi su qualche altra ragazza!».

Piazza Beccaria ci accolse col via vai serale del Quartiere: gruppi di persone attorno ai venditori ambulanti, al banco del cocomeraio, all'entrata del *Cinema Alhambra*, dai cui manifesti effigi della Garbo recavano scritto per traverso: GRANDE SUCCESSO. Sui ciclisti, i tram e le auto, e sulle persone indolenti in capannelli o dirette a una mèta, alitava una brezza leggera. Le finestre dei quattro palazzi a semicerchio che recingono la piazza, brillavano a un'ultima spera di sole. Voci e rumori amici compivano la vita che fluiva, segnata all'orizzonte dai verde dei platani. Marisa disse:

«In Santa Croce diremo che ci siamo lasciati d'accordo, restando amici. Il che è vero, non è vero?»

«Già» le risposi. «Ma a Carlo cosa diremo?»

Provammo un turbamento reciproco. Finché essa concluse: «Gliene parlerò io. Non ti preoccupare.»

Era tranquilla, e riuscì a dissipare anche il mio disagio.

«Accompagnami ugualmente anche stasera» mi disse sorridendo.

Percorremmo via Aretina. Le offersi una granita al chiosco sull'angolo di via Giotto. Eravamo amici; e che tutto si fosse risolto semplicemente e così presto, la serenità interiore di cui godevo, era una realtà alla quale mi sforzavo di credere. Pensavo ad Olga come ad una cosa intatta da tutelare nel cavo delle mani.

Al Madonnone, sotto l'immagine sacra racchiusa nei tabernacolo stava accesa una lampada la cui fiammella era impercettibile nella luce della sera estiva. Andammo oltre, fino all'imbocco del viuzzo Moriani ove Marisa abitava. Lì ci fermammo per salutarci. Marisa aveva abbassato la testa. Con la mano nella mia mano, a bassa voce, affettuosa eppure distante, sussurrò:

«Come farai senza una donna?» Arrossì.

«Beh, vedremo» risposi, anch'io arrossendo, confuso. Ci lasciammo quasi non dovessimo più incontrarci, con un velo di malinconia, ma senza dolore.

XXII

Settembre 1935. Giorgio e Carlo, ventenni, erano di leva, ma Carlo, come orfano di guerra, si trovava nella condizione di essere esonerato dal servizio militare. Giorgio doveva partire con il secondo scaglione di novembre. (Pure Gino avrebbe dovuto presentarsi, ma già prima di lasciare il Quartiere, per mezzo di sue conoscenze, era riuscito a rimandare di un anno la chiamata: pensavo che ci saremmo ritrovati assieme l'anno seguente.)

Il corredo del nascituro era pronto, steso capo su capo in una cassetta del comò. Olga e Luciana, con Maria e le altre donne, avevano sferruzzato tutta estate. Marisa aveva offerto una coperta da neonato, avuta sottoprezzo al Bazar.

Giorgio tornò una sera con una culla che aveva comperato impegnando al Monte di Pietà l'orologio regalatogli da Gino il giorno delle nozze. La culla era un oggetto prezioso nelle sue mani: fatta di giunco tinto celeste ed intrecciato, con la cuna foderata di rosa, che dondolava.

Quando annottava la gente era fuori delle porte: sedute sulle sedie nane le donne rivestivano i fiaschi, parlavano di guerra e "diociliberi"; i giornali recavano titoli cubitali su cui spiccava una parola ch'era appena un liquido suono, un verso, sulle nostre labbra vernacole: *Ual-Ual*. E quand'era tarda sera, passavano per le strade giovani eccitati dai propri gridi, in gruppo: «Abbasso il Negus», «Viva la guerra», gridavano. Qualche uomo si staccava dai capannelli sulle soglie dell'osterie, dal *Bar San Piero*, si univa alle grida che dicevano: «L'Abissinia è italiana». E le mura delle nostre case, sulla strada, si coprivano di rossi manifesti che invitavano all'adunata, di scritte con *M* e *W*, viva e abbasso per tutto il Quartiere. Ma passati i gruppi, sopite le grida, restavano nelle nostre strade e piazze soltanto l'afa d'estate, il lezzo degli stallaggi, le donne che rivestivano i fiaschi con la paglia lavorata, dicendo "domineddio". Gli uomini erano stupiti e inerti, pronti alle grida quanto solidali con le parole dell'anziano calzolaio che aveva fama di sovversivo. Egli enumerava le sue ragioni sulle dita nere e callose, sui polpastrelli consumati dalla lesina (passando due giorni dopo davanti al suo stambugio incassato nella Volta, vedemmo l'usciolo sprangato, un *abbasso* dipinto in mezzo).

In fabbrica si accendevano le discussioni. Ed una sera a cena mio padre, ripulendo il piatto con un boccone di pane, intento in quell'operazione, quasi soprapensiero mi domandò:

«Ti ho ascoltato stamani in refettorio, quando ti addoloravi di non essere ancora di leva. Credi davvero sia una bella cosa la guerra?»

Girava il pezzo di pane sul fondo del piatto:

«Io non ti ho mai voluto influenzare. Ognuno la pensa come crede. Ma se la tua speranza era questa!»

V'era un senso di rammarico e di dolore in quel che diceva, come un'offesa dignitosamente accusata. Io gli dissi le cose che pensavo, per le quali ero d'accordo coi giornali. Mio padre si portò alla bocca il pezzo di pane. Disse:

«Ti sei lasciato con Marisa, ora ti scalmani per la guerra. Hai imboccato una bella strada, non c'è che dire.»

Si alzò, prese la giacca appesa alla sedia, se la buttò sulle spalle, rivolto alla nonna aggiunse:

«Vedi mamma? Le nuove generazioni!»

Uscì battendo forte la porta, lo udimmo canticchiare una canzone mentre scendeva le scale.

E veramente una generazione era passata, trasmettendosi il punteruolo che serve per i telai, gli imballaggi di dorso in dorso. Una generazione che seguiva l'altra, zuppa di cavolo a sera alternandosi a polenda di granturco, mentre i gerani fiorivano sui davanzali e crescevano le ragnatele di Pasqua in Pasqua.

Così era passata una generazione sui lastrici del Quartiere, annerendo dal contatto la cordicella che serviva da guida per le scale buie delle case, di canzone in canzone, dal *Piave* a *Faccetta nera*. Vent'anni – e uno stesso coscritto, con uno stesso cognome, veste il grigioverde di soldato, fa la sua guerra per cui gli hanno inventato un ideale. Di padre in figlio si tace per una lunga parentesi l'oscura balbettata speranza. Fanno la guerra, si dannano in essa (ci muoiono) come in una spensierata vacanza che gli offre diverso il quotidiano dolore. E se non muoiono (se ci si dannano) la speranza gli si è aperta e svelata, sempre troppo tardi.

Vi furono giorni, in quel settembre, in cui mettemmo a dura prova la nostra amicizia. Ci riunivamo in casa di Giorgio, e per la prima volta eravamo ciascuno con una sensazione diversa e reciprocamente ostile, dinanzi ad uno stesso problema. Carlo era improvvisamente uscito dalla pacata condiscendenza in cui stava guadagnandosi la propria virtù: loquace ed espressivo come al tempo dell'adolescenza, i gialli occhi gli sfavillavano d'energia. V'era nel suo eloquio un non so che di disperato di cui soltanto in seguito dovevo rendermi ragione. Assaliva tutti noi perché disposti a discutere sulla guerra che si annunziava e che secondo lui era un fatto meraviglioso, mancando il quale non avrebbe messo più conto vivere. Giorgio accoglieva sereno le sue invettive. Con la fronte appena corrugata, pensieroso e quasi costantemente immerso nel suo pensiero, come calcolando parola per parola prima di pronunciarla.

«Capisco ciò che dici» rispondeva a Carlo. «Ma non mi conviene il perché della guerra. Non per paura, non credo di aver paura. Anzi penso che per forza di cose sarò il primo di tutti noi a combatterla. Mi sembra però che prima ci sarebbero da fare qui tante cose. Mi sembra che basterebbe togliere un poco a tutti quelli che hanno per ricavarne più frutti che dalla occupazione dell'Abissinia.»

«Ma l'Abissinia ci renderà eternamente. È una miniera. Ci costruiremo fabbriche, cantieri, ci porteremo gente nostra a lavorare.»

«E perché? Togliendo un poco a tutti quelli che hanno non si costruirebbero anche qui fabbriche e cantieri? Non c'è forse spazio per le fabbriche e i cantieri qui da noi, invece di andare in casa d'altri a fare le prepotenze e rimetterci tante vite di fratelli?»

«Fesso che sei! Tutte le conquiste costano sangue. Bisogna dare al mondo la dimostrazione che siamo un popolo forte se vogliamo essere rispettati, se no ci metteranno sotto i piedi per l'eternità, ci dovremo considerare indegni di chiamarci italiani. Non vedi i forestieri quando passano per le nostre strade? Ci trattano con degnazione e ci ridono in faccia come fossimo animali curiosi chiusi in una gabbia, in mezzo al sudiciume. Gli inglesi specialmente.»

«E allora facciamo la guerra agli inglesi.»

«Già!»

Arrigo era distratto e come annoiato. Con la mano nella mano di Luciana volgeva di volta in volta la faccia verso colui che parlava. Io avvertivo nelle parole di Carlo una verità da meditare. Sentivo il sangue battermi nelle vene quando Carlo parlava di gioventù e di guerra, eppure nella voce di Giorgio risuonava l'eco di una speranza che mi turbava, allorché diceva che anche sotto questa guerra doveva esserci qualcosa che non era fatto a nostro vantaggio, se dopo guerre e guerre eravamo rimasti gli stessi poveri di prima.

Giorgio disse:

«È come se non avessimo sedia per sedere e invece di andarla a prendere nella casa vicina, dove ce ne sono di troppo, ci si buttasse a nuoto dentro l'Arno su cui ne abbiamo vista galleggiare una.»

Maria era accanto a Giorgio: lo guardava con ansia, pendeva dalle sue labbra come se ogni sua parola potesse turbarla. Luciana era adesso in piedi alle spalle di Arrigo, lo aveva cinto al collo con le braccia, posandogli guancia contro guancia.

Carlo riprese:

«Sì, tu almanacchi con le sedie, e qui c'è in ballo l'Italia. E l'Italia siamo noi che la dobbiamo difendere, offrendo la nostra vita se necessario.»

Giorgio aveva piegato la testa. Poggiava le braccia sul tavolo, una peluria bionda e crespa gli saliva dai polsi fin sotto il gomito. Disse:

«Il perché io non so fartelo capire. Ma personalmente non mi entusiasma.»

Carlo si alzò di scatto, in modo irriflessivo disse:

«Già, tu sei figlio di un sovversivo!»

Giorgio sollevò la testa. I suoi occhi celesti ebbero una luce di rancore, smentita dal tono della voce che fu sereno. Si batté un pugno nella palma dell'altra mano, rispose:

«Se hai creduto di offendermi ti farò ricordare di queste tue parole!»

Luciana ruppe il silenzio che si era creato dopo la minaccia di Giorgio. Carlo stesso, sorpreso della propria violenza, era impacciato nel darsi un contegno. Luciana disse:

«Volete bere? Ora preparo i bicchieri.»

Improvvisamente Maria scoppiò in pianto. Ma subito si volse verso Carlo; singhiozzando gli disse:

«Tu ragioni così. Ma intanto di tutti voialtri lui solo dovrà partire. E mi lascia in queste condizioni!»

Il pianto di Maria aveva richiamato la madre dalla cucina. Carlo protestò docilmente:

«Io ho fatto la domanda di volontario. Spero me l'accettino.»

La madre di Maria disse:

«Macché guerra! Nessuno l'ha ancora dichiarata».

«Infatti» disse Luciana tornando coi bicchieri. «Parlate come se fosse già scoppiata.»

Carlo aveva steso la mano traverso il tavolo, verso Giorgio che la strinse nella sua.

«Perdonami» disse Carlo. «E poi, sai com'è? Fare il guerriero mi piace.»

Ridemmo, versando il vino nei bicchieri. Maria si asciugava le lacrime; risentita nel suo dolore gli rispose:

«Però dovresti averne avuto abbastanza dopo l'esempio di

tuo padre. Pensa come lasceresti tua sorella, in balia del mondo.»

(Olga non era con noi. Forse in quell'istante apriva il pane e vi metteva in mezzo la frittata, per la colazione di Carlo all'indomani; girava attorno lo sguardo per accertarsi che tutto fosse in ordine, prima di coricarsi.)

XXIII

E la guerra fu dichiarata. Alti canti ed evviva. Alla sede del Gruppo Rionale, situata all'inizio di via Ghibellina, di fronte al Carcere, un altoparlante bissava discorsi e canzoni. Era una sera d'ottobre umida di nebbia. Dai prossimi viali le luci delle auto si disfacevano in un alone latteo. Giorgio consolava la moglie affaticata sulla sedia dalla gravidanza e dall'apprensione.

«Arrigo resterà a casa. Eppoi, non faranno in tempo a mandarci laggiù noi di leva. Sarà una cosa di pochi mesi.»

Luciana faceva una carezza ad Arrigo:

«Il nostro riformato!» dicendo. «Tirerà avanti lui la baracca.»

In tutto il Quartiere v'era un'agitazione inconsueta. Come se ogni individuo occupasse più spazio nelle strade, come se il pensiero dominante di ognuno esorbitasse dai corpi, preoccupazione ed entusiasmo si tramutavano in gesti, in capannelli vocianti, in conciliaboli su ogni cantone. Per il resto, era la vita normale del Quartiere: i veicoli che passavano, le luci dei negozi, i panni alle finestre, i richiami e i saluti della sera. Solo in Piazza San Piero, sulla soglia del Bar, al carretto del trippaio che teneva acceso l'acetilene, gruppi di giovanotti parlavano animatamente, esplodevano in grida, s'incolonnavano verso la sede del Gruppo o il centro della città recando cartelli e bandiere: qualche ragazza col berretto da studente carico d'amuleti stava nelle prime file.

Carlo era con costoro. Aveva d'improvviso fraternizzato

con dei giovani impiegati e negozianti verso i quali c'eravamo fino ad allora attenuti allo scambio della buonasera, o giocando con essi una partita di biliardo nella quale da parte nostra mettevamo tutto l'impegno per uscirne vincitori. Li trovavamo spesso sulle gradinate dello Stadio, infervorati della nostra stessa passione, oppure nella sala della casa di via Rosa ugualmente sfacciati, noi e loro, per mascherare il comune pudore. Non antipatia ci divideva, ma una reciproca diffidenza, soprattutto palese in loro nei riguardi di Giorgio. Diffidenza, meglio avversione, che una volta era stata esplicita, in occasione delle istruzioni premilitari alle quali eravamo obbligati a partecipare. (Siccome una mattina Giorgio, giunto in ritardo, subì un rimprovero dell'istruttore, uno dei giovanotti aveva commentato: «Il sangue non mente!».) Solidali con Giorgio, li tenevamo distanti, non altro. Ed ora Carlo aveva fraternizzato con essi; manifestava il proprio entusiasmo per le strade.

Pochi giorni dopo la dichiarazione di guerra, Giorgio ricevette la cartolina-precetto. La stessa sera Maria, colta dalle doglie del parto, fu ricoverata all'Ospedale della Maternità. Passammo quella notte, Giorgio, Arrigo ed io, nell'androne dell'ospedale, avvicinandoci alla guardiola del portiere ogni volta che il telefono interno squillava. Era una bella notte autunnale, di piena luna e un cielo pulito di nubi; dal portone dischiuso ci investiva un'aria fredda, gradita ai nostri corpi giovani. Lanciavamo una moneta raccogliendola nel palmo della mano per indovinare il sesso del nascituro. Giorgio diceva:

«È una cosa importante diventare padre.» Rideva per primo, commosso e intimidito.

Giunse un'autambulanza col suo carico di una madre mugolante: un giovane che l'accompagnava, il marito, si unì a noi nell'attesa, assieme a una ragazza, sua sorella. Ci offersero sigarette "Serraglio". Passarono alcune ore. Poi il telefono squillò. Il portiere apparve sulla soglia della guardiola, si rivolse al gruppo in attesa, disse:

«Per Matteini tutto bene. È un maschio. Ora potete andare

a letto. Ritornate domani a mezzogiorno e lo vedrete.» Aveva una voce roca e annoiata.

Facemmo festa a Giorgio. Anche i due amici recenti si congratularono; li salutammo lasciandogli gli auguri.

Per le strade, silenziose e deserte, i nostri passi risuonavano, come le nostre voci, in un'allegra dimensione, compita in alto dal cielo che illanguidiva nel chiarore imminente dell'alba. Prendemmo per le vie del centro. Ad un caffè che trovammo aperto Giorgio offerse la grappa: vetturini e borghesi nottambuli parlavano di guerra e d'Abissinia. In via Calzaioli ci sfilò davanti una compagnia di soldati, zaino affardellato ed elmetto: andavano muti e gravi, in silenzio, a passo cadenzato, nel grande silenzio dell'alba. Quando furono passati, Giorgio disse:

«Ecco il richiamo alla realtà. Dovrò presentarmi fra cinque giorni. Nemmeno lo sapesse, mio figlio! È stato gentile da parte sua fare in modo che ci potessimo conoscere subito, non vi pare?»

Entrammo nel Quartiere dal Corso. Ci oltrepassavano i carri diretti al Mercato e siccome Arrigo aveva proposto di passare subito da Luciana a darle la notizia, voltammo per via de' Conciatori. Il deposito della Nettezza era già aperto: ne uscivano gli spazzini sui tricicli, o con la scopa bilanciata sulla spalla. Arrigo fischiò a suo modo. Quando Luciana apparve alla finestra: «Maschio», dicemmo ad una voce. Luciana ci chiese di attenderla, ma Arrigo la dissuase consigliandola di raggiungerci a casa fra qualche ora.

«Viva Lorenzo!» gridò Luciana nel salutarci.

Era mattino. Il sole appariva sulle cimase delle case, l'aria aveva un sapore fresco ed incitante ad ingoiarla. Arrigo ci lasciò per raggiungere il forno dove poteva ancora essere utile senza perdere del tutto la paga della giornata. Andando verso casa (siccome abitavamo nello stesso stabile) Giorgio mi confidava la sua gioia. Poi mi disse:

«Capisci? Questo fatto stabilisce qualcosa di definitivo nel nostro affetto, fra Maria e me.»

Sulla porta di casa trovammo i poliziotti che erano venuti per arrestarlo.

XXIV

Per due giorni non sapemmo nulla di Giorgio. Intanto facemmo una mesta conoscenza di Lorenzo, posato accanto alla madre nel letto di una corsia della Maternità. Maria era pallida e cara, col nastro celeste sui capelli. Le colavano lacrime sul volto, dagli occhi nei quali era scomparso il brillìo di giovinezza che li aveva fino ad allora illuminati.

Ma Giorgio non era stato arrestato per misure di polizia come noi temevamo, a causa del padre. Presto sapemmo l'imputazione che gli veniva mossa. E se ciò servì a tranquillizzarci nella certezza di una sua sollecita liberazione, un nuovo diverso dolore ci colpì negli affetti, nell'amicizia: come se un veleno ci fosse stato immesso nel sangue a tradimento e ne provassimo nei precordi il malore.

L'orologio che Giorgio aveva impegnato al Monte di Pietà per comperare la culla era stato riconosciuto appartenente ad un uomo ucciso nella propria casa da un ignoto rapinatore, sei mesi prima. E siccome Giorgio innocentemente disse di avere avuto l'orologio in regalo di nozze dall'amico Gino Busi, di elemento in elemento, da oscuri subitamente chiarificatisi, la Polizia identificò in Gino l'uccisore. Gino venne arrestato pochi giorni dopo a Roma, in una pensione elegante dove aveva preso domicilio, e tradotto a Firenze. I giornali lo descrivevano «un giovane dissoluto», dicevano il delitto causato da «privati rancori», illustravano l'ucciso quale «una nobile figura di ex combattente e fine letterato».

Era un novembre piovoso. Riaffioravano sui soffitti delle case le larghe chiazze d'umido. Per le strade di Quartiere, dai lastrici sconnessi, in leggera pendenza ai bordi, correvano rivoli d'acqua grigia: precipitavano con fracasso attraverso i pertugi nelle fogne. Le carrozze coi mantici rialzati ed i cavalli madidi e lustri, rientravano più tardi allo stallaggio o, sul mattino, indugiavano in fila davanti alla mascalcia illuminata sul fondo dalla forgia. Il trippaio aveva tirato il carretto accosto al marciapiede, lo aveva protetto sotto un grande ombrello verde infilato al centro della vaschetta: al riverbero dell'acetilene, nella rada nebbia serale su cui cadeva la pioggia, il fumo del lampredotto conferiva una proporzione alle facce degli avventori che vi si affollavano intorno.

Ci trovavamo in casa di Carlo, a causa della pioggia, e per stare assieme ancora un poco: Giorgio sarebbe partito la sera stessa per raggiungere il suo reggimento. Anche Carlo, vista accettata la sua domanda di volontario, era in attesa della chiamata.

Giorgio disse:

«Gli dovevamo stare più vicini. Eppure ad un certo momento anch'io l'ho lasciato andare.»

«Non devi fartene una colpa» gli rispose Carlo. «Del resto» aggiunse «tutti gli uomini agiscono secondo la propria natura, e quando l'istinto porta su una strada, non c'è cristi, siamo costretti a seguirla fino in fondo. A meno di non essere un santo od un eroe. E questo non era il caso di Gino.»

La voce di Carlo era ferma e pacata. In ciò che aveva detto v'era qualcosa di meditato e sofferto che restava inespresso.

«Perché?» gli chiese Giorgio. «Secondo te, gli altri è come se non esistessero? La società non può entrarci in nulla? Né a migliorarci né a darci un'educazione?» Con un tono di malinconica, affettuosa ironia, continuò: «Se vuoi dir questo sei in contraddizione con te stesso, e non credi nemmeno in quello che stai per fare. Cosa ci vai a fare in Abissinia se non ci vai per civilizzare i mori e per dare più pane agli italiani?».

Carlo sorrise come soggiacendo ad uno scherzo innocente.

«La verità è che Gino è un assassino. Ed era uno di noi, uno a cui volevamo bene come a un fratello» dissi.

Giorgio mi rispose:

«Perciò la colpa è un po' di tutti noi. Ti ricordi quel che gli dissi il giorno che lo picchiai?»

«Cosa?» chiese Carlo.

«Appunto questo. Gino è cresciuto assieme a noi, era fatto come noi. Ci siamo pure dovuti scambiare qualcosa l'uno con l'altro in tanti anni che siamo stati vicini: non siamo certo stati accanto da estranei. E se Gino ha potuto fare quel che ha fatto vuol dire che noi gli abbiamo trasmesso soltanto quanto di più brutto avevamo dentro di noi. O vuol dire che con le nostre azioni nei suoi riguardi, con le nostre parole, gli abbiamo allevato il brutto che aveva dentro senza riuscire ad illuminarlo sulla sua natura e renderlo simile a noi. Il meno di cui ci possiamo accusare è di non avergli voluto bene.»

Né Carlo né io sapemmo contraddirlo. Forse anche Carlo cercava, come io facevo, una giustificazione che vincesse lo sgomento che le parole di Giorgio ci avevano accresciuto. Arrigo, che fino a quel momento aveva seguito il colloquio in silenzio, volgendo lo sguardo ora qua ora là, abbandonò la testa sulle braccia per nascondere la propria commozione.

Giorgio riprese:

«Tutto ciò non deve farci immalinconire. Però deve farci riflettere. Ora sarebbe il caso di fare un brindisi, di dirsi belle parole. Cari miei, chissà se ci si rivede!»

Eravamo ragazzi di vent'anni, per un istante abbattuti da cose più grandi di noi. Cercavamo invano in noi stessi un motivo che ci liberasse dall'impaccio che non trovava un esito interiore. Bastò l'invito di Giorgio, che ci richiamava ad una cordialità momentanea smarrita, per darci nuova fiducia, ed ai nostri giovani corpi la vitalità consueta. Arrigo sollevò la testa: si passò il dito sugli occhi umidi di lacrime, con il gesto e l'espressione di un bambino.

Alzammo i bicchieri, brindammo col vino di tutti i giorni, mettemmo in disordine la piccola reggia di Olga, che era al lavoro e forse pensava a noi. I vetri della finestra erano rigati di pioggia, appannati, dietro le tendine. Fu accesa la luce. Ci abbracciammo e baciammo più volte, giurando di ritrovarci, finita la guerra, più uniti e coscienti che mai. Fu Giorgio a dire "coscienti", con una intenzione nella voce. E Carlo ne approfittò per chiedergli fra le risa, in un impeto di allegra impertinenza:

«Ora che ci lasci, Giorgio, dicci una cosa. Tu sei o non sei un sovversivo?»

«Ti risponderò un'altra volta» disse Giorgio. «Quando me lo chiederai un po' più seriamente.»

Ma Carlo rise, e io pure, e Arrigo.

«Perché?» chiese Carlo. «Se lo sei, lo sei.»

«Può darsi. Ma non proprio un *sov-ver-si-vo*, come dici tu. Un'altra cosa» gli rispose Giorgio. E lo abbracciò, baciandolo sulla bocca.

«Bischeraccio!» gli disse, con amore.

Una settimana dopo, andando Arrigo ed io dalla sorella di Gino per chieder notizie, essa ci consegnò una lettera di Gino da fare recapitare a Giorgio.

XXV

Questa è la lettera di Gino a Giorgio.

«Raccolgo l'ultimo barlume di volontà che mi resta per trovare il coraggio di scriverti. Sento di doverlo fare perché tu sei la sola persona al mondo alla quale debbo una confessione totale della mia colpa. Parlando a te non faccio altro che anticipare di poco il mio colloquio finale con Dio, nelle cui mani mi rimetto, pure avendo trovato troppo tardi le parole per rivolgermi a Lui e per pentirmi dei miei peccati. Essendo Iddio, come ho imparato in questi ultimi tempi, la Bontà celeste e misericordiosa, tu sei stato la sola disinteressata Bontà da me conosciuta sulla Terra. Se trovo il coraggio di scriverti vuol dire che un'inezia della tua bontà mi soccorre ancora, e io l'adopero, cercando con lo scriverti di chiarire fino all'estremo me stesso, affinché io possa presentarmi al giudizio dell'Eterno, nudo in tutta la mia vergogna.

«Il mio peccato capitale è stato l'*invidia*.

«I miei genitori si sposarono quando mia madre non aveva ancora venti anni e mio padre circa quaranta, non so come; né ho mai saputo nulla dei nonni e parenti. Sulle famiglie dei miei genitori è passata la spugna del tempo. Abitavamo nel Quartiere di San Frediano. Mio padre faceva lo sterratore. Mia sorella Gisella nacque poco dopo il loro matrimonio. Intorno a una certa epoca mio padre si dette al bere, trascurando il lavoro e la famiglia. Mia madre diventò amante di un fattore che veniva in città per affari, frequentando le nostre strade. Io non posso giudicare i miei genitori. – Dieci anni dopo mia sorella, nacqui io. Mio padre mi rifiutò sempre come figlio. Cominciò a picchiare mia madre appena fu incinta; contemporaneamente il fattore aveva troncato la relazione dando a mia madre qualche migliaio di lire. Fu allora che lasciammo San Frediano per stabilirci nel nostro Quartiere. – Da quando ho avuto coscienza di avere occhi e ritenere immagini, se non pensieri, ho visto la faccia vermiglia di mio padre accanirsi su mia madre e colpirla con le grosse mani. Si toglieva la cinghia dei calzoni e la faceva ricadere a mulinello sulla poveretta. Da quando ho memoria delle sensazioni fisiche, ricordo gli schiaffi infertimi per un nonnulla da mio padre, che mi toglievano per alcuni istanti la vista e mi annichilivano di dolore e di paura. Anche la mamma mi trattava con disprezzo, seppure senza colpirmi, così come può capire un bambino di sentirsi disprezzato dalla propria madre, con tutte le esagerazioni che può portarvi un fanciullo che si sente trascurato. Per mia sorella, invece, che era ormai una giovinetta, entrambi i genitori mi pareva avessero particolare riguardo; una specie di affettuosa soggezione da parte di mio padre, per cui bastava l'intervento di Gisella perché egli cessasse di percuotere la mamma; e particolari attenzioni da parte della mamma, come per esempio l'uovo ch'essa costringeva Gisella a succhiare ogni mattina, rifiutandomelo ostinatamente. Come invidiavo a Gisella il suo uovo ogni mattina, quanto la odiavo! – Vivevamo di stenti, con i rari guadagni che la mamma faceva nei suoi servizi di domestica; cenavamo con i resti tolti dai piatti nelle case ove la mamma andava a rigovernare. Ma Gisella aveva il suo uovo ogni mattina, il vestito nuovo, i soldi per la cipria e per il *Canzoniere popolare*. Di queste miserie io ero ferocemente invidioso. Avevo sei anni, e l'invidia e l'odio erano accresciuti dalla solitudine in cui venivo lasciato. – Poi mio padre morì all'ospedale in seguito a un attacco apoplettico, non so di preciso. Iddio protegga la sua anima, e quella della mamma che ormai stanca e invecchiata lo seguì nella tomba due anni dopo. – Gisella era, come è sempre stata, un'onesta e laboriosa creatura. Lavorava da sarta e vivevamo del suo lavoro.

Piano piano incominciavo a volerle bene. Quando si fidanzò mi parve un tradimento, come se tutte le attenzioni ch'essa manifestava per il futuro sposo mi fossero spettate. Li odiavo e invidiavo entrambi.

«Ora devo dirti ciò che più di tutto potrà addolorarti. Devo dirti di quando con te, Carlo, Valerio ed Arrigo giocavamo nel Quartiere. Io ero un ragazzo chiuso, lo so, ma più che chiuso ero vinto dalla mia natura, che in ogni impresa mi faceva sospettare un'imboscata. Di Carlo soprattutto temevo. Non l'ho mai dimostrato, eppure se tu pensi bene, ti accorgerai come io non apportassi mai nella compagnia se non la mia stupida riservatezza. Non ho vissuto come voialtri in piena festa quegli anni della fanciullezza, bensì sempre vigile e dentro di me in sospetto, sciupando così ogni gioia: ero convinto di mancare di un senso, rispetto a voialtri, come se avessi coscienza che c'era dentro di me qualcosa di infranto e mortificato; confusamente vi invidiavo una perfezione naturale che mi era inibita. E quanto vi invidiavo la confidenza con le bambine! Ricordo quel giorno in cui arrossii e fuggii perché Luciana mi doveva baciare secondo il "gioco degli sposi". Voialtri ragazzi mi raggiungeste, mi toglieste i pantaloni per vedere se fossi maschio o no, e immobilizzandomi, uno alla volta mi sputaste sul sesso. Vi odiai a lungo dopo quel giorno, senza farlo capire. Anzi, partecipai con ferocia quando facemmo lo stesso a Valerio perché non era riuscito ad orinare come esigeva la posta del "braccio di ferro" per chi avesse perduto. Appartato, mangiavo tutto solo le liquorizie o i fichi secchi comperati con i soldi che Gisella mi regalava.

«Di te ho avuto sempre soggezione. Fin da allora, nell'invidia in cui ti accomunavo con gli altri, v'era una piega di rispetto. Fosse la tua figura fisica a ispirarmelo o che altro, non so dire. Mi sovviene invece del giorno in cui mi sorprendesti sulla scalinata della Chiesa, con un cartoccio di ciliege. Ti sedesti accanto a me e all'incirca mi tenesti questo ragionamento: "Perché ti nascondi a mangiare da solo le ciliege? Va bene che le hai comperate coi tuoi soldi e sono tue, ma dovresti essere tu ad offrirle agli amici". Sopraggiunsero gli altri tre, e Carlo mi tolse il cartoccio dalle mani di prepotenza. Ti battesti perché mi fosse data la mia parte. L'episodio mi rimase impresso e me ne ricordai l'anno scorso quando mi picchiasti sulla panchina di piazza Santa Croce.

«Poi entrai a bottega da mio cognato e seguì il periodo degli studi. Mi sentivo superiore a voialtri, diventato di altra condizione. Eppure anche nelle aule del ginnasio vi pensavo con invidia correre per i Colli. Con la stessa invidia, se non maggiore, che provavo verso i più diligenti della classe, dei quali cercavo di diventare amico, prestandomi vilmente a dei servizi (che so? legargli la cartella di assicelle dietro le spalle, procurargli delle fotografie oscene che sottraevo dal cassetto di bottega a mio cognato) perché mi facessero copiare i problemi o le traduzioni. – I miei compagni di scuola erano tutti ragazzi di buona famiglia, anche molto ricchi, avevano sempre denari in tasca; uscivano dalla scuola e si fermavano al bar a prendere panna e cioccolato, succhiavano caramelle durante le lezioni, fumavano le sigarette. Tutte cose che mi struggevano d'invidia. – Fu un po' per questo, e tu lo avevi capito, ma più per la mia corrotta natura. – La prima volta che corsi la triste avventura, non provai ribrezzo come forse dubitavo, bensì piacere. Il mio amico occasionale pareva facilitare per intuizione la mia virile sensualità. Ribrezzo lo provai dopo aver lasciato l'amico. Fu il solo momento in cui intravidi il precipizio che mi si stava aprendo davanti. Avevo sedici anni, e i ginocchi coperti, come si dice nel Quartiere. Cercai disperatamente di entrare in una casa di tolleranza; ero vergine e pensavo così facendo di superare con l'iniziazione ogni possibile ritorno della debolezza alla quale avevo soggiaciuto. Infilai la soglia di tutti i postriboli della città e da tutti venni cacciato per la mia età.

«Fu il giorno che decise della mia vita. Fu un giorno d'inferno, in cui il serpe del diavolo si assestò definitivamente dentro il mio petto. – A sera andai a un cinema senza capire nulla di ciò che si proiettava. Ne uscii in uno stato di esasperata agitazione: percorsi le strade del centro e i vicoli, guatando in ogni donna che andava sola una prostituta che mi rendesse possibile l'avvicinarla. Finché in piazza San Firenze, seduta sul basso sedile di pietra che corre lungo il palaz-

111

zo che fronteggia il Tribunale, stava una figura di donna la quale, al rumore dei miei passi, si alzò. Mi venne incontro chiedendomi di accendere la sua sigaretta alla mia che tenevo fra le dita. La ebbi così di faccia; distinsi due grandi labbra dipinte e una sfoltita capigliatura bionda tagliata a zazzera, un personale alto quanto il mio o poco meno, grasso. Con una voce roca mi chiese cosa facessi, così giovane, all'una dopo mezzanotte per le strade. Io le dissi che cercavo una donna per andarci a letto assieme. Ero agitato e deciso, ed il cuore mi batteva forte. Essa sorrise buttandomi in faccia il fumo della sigaretta. Fece delle obbiezioni, che capii finte, a causa della mia poca età. Poi disse che lei stessa mi avrebbe volentieri divezzato. Allora io la invitai ad accompagnarmi dove credeva dovessimo andare. Essa mi fermò al braccio chiedendomi se avessi denaro. Cavai di tasca tutto quello che possedevo. Essa disse "va bene" e mi invitò a seguirla un po' a distanza mentre mi avrebbe preceduto. Svoltò in un vicolo, infilò una porta sulla quale mi attese. Mi prese per mano invitandomi a salire in silenzio le scale. – Entrammo a un ultimo piano, ove si apriva un usciolino che immetteva in una stanza cieca, non più lunga e larga di questa cella, arredata da un letto alla turca, con sopra distesa una coperta grigio scura. Una sedia, un lavamano ed uno specchio a muro compivano l'arredamento. Essa accese il lume e contò i soldi che teneva ancora stretti nel pugno, disse cordialmente che ero un bravo ragazzo. Ora finalmente la vedevo qual era: una donna sfatta ed anziana, pingue di corpo, dalla faccia tumida. Una povera creatura, che non so descrivere, tanto mi si stringe il cuore a ricordarla. – Sulla mia delusione dovette giocare l'aria viziata della stanza, il fatto che tutt'altro mi ero immaginato l'ambiente. Essa mi invitò a spogliarmi, premettendo che comunque sarei dovuto uscire per tempo. Intanto si tolse bluse e sottana, mettendo improvvisamente a nudo il suo squallido corpo. Rimase col solo reggipetto di un rosa insudiciato dall'uso. Era tanto comica e orribile che ne provai terrore. La mia delusa eccitazione si tramutò in sgomento. Ero disperato e confuso, steso sul letto con lei, con le sue braccia che mi cingevano le spalle, a contatto del suo corpo, della sua povera carne che mi pareva una massa gelatinosa. Perdetti ogni virilità, cominciai a tremare, e la mente mi corse all'avventura del mattino come ad una felicità intravista e perduta. Tornai a casa scosso in tutto me stesso da un disgusto inenarrabile. Dormii facendo sogni malefici. Fui puntuale l'indomani all'appuntamento datomi dal mio nuovo amico, al quale mi ero giurato di mancare.

«Da quel momento diventai il giovanotto viziato, lo stesso che tu ricopristi di pugni sulla panchina di piazza Santa Croce. – Claudio, la mia vittima, mi aperse a una vita tutta premure e desideri soddisfatti. Trascorrevamo, nel suo villino, giorni diabolici, che si dipingevano nella mia mente come la felicità conquistata. Tu mi attribuisti, picchiandomi, quel giorno, una riserva morale, sia pure occultata nelle pieghe dell'anima, che io non avevo più da un pezzo, incancrenito fino ai capelli nel vizio. Claudio mi aveva introdotto in un mondo ammanierato e gaudente che compiaceva la mia misera origine. – Così passarono due anni. Egli era buono e gentile, viziato più per una moda trascesa nell'abitudine che per un corrotto sentimento dello spirito, come ebbe a dirmi un giorno di fraterne confidenze. Egli era tanto migliore di me. Aveva una moglie e un figlio che adorava. Era di molto ingegno; una creatura raffinata, raramente capace di parole dure e volgari che, ora lo capisco, trovava semmai disperatamente come un'estrema difesa. – Io gli invidiavo l'affetto ch'egli portava ai suoi cari. Tutto gli invidiavo che non mi riguardasse. Egli cercava, parlandomi, di invitarmi ad un ragionamento. Allorché si accorse del mio pervertimento diventato natura, rese insensibilmente più radi, e poi abbandonò del tutto, i nostri rapporti segreti. Mi convinse a riprendere gli studi privatamente, a confessare spietatamente le mie impressioni in un diario e rileggerle a distanza per ammaestrarmi. Finché la mia vergogna, ormai fattasi sangue, dovette spaventarlo. Lentamente cercò di allontanarmi. – Tanto era il mio attaccamento morboso per lui, altrettanto mi inventavo di odiarlo. Spendevo apposta in modo balordo i denari che egli mi dava, per chiedergliene ancora. Gli rimproveravo come sua colpa la modestia della mia abitazione rispetto alla sua casa ben messa, la mia povertà di fannullone a confronto dell'agiatezza ch'egli si era conquistata col suo lavoro. Ma ero pronto a soggiacere ed a smentirmi dopo una sua parola gentile o una carezza.

«Tu forse, Giorgio, non sai che il tuo incitamento alla bontà, i tuoi pugni di fratello, determinarono la decisione nella mia mente viziata! Non averne rimorso, tu fosti l'angelo buono che mi colpiva con la frusta per farmi rimordere nella colpa, ma il diavolo si era accoccolato nel mio petto, si servì delle tue parole ispirate per accelerare il possesso definitivo della mia anima. Io ero sferzato dalle tue parole, volevo farmi la posizione che mi rimproveravi di non avere. Ma siccome ero circondato dal Maligno una sola, perfida strada potevo battere. – In quei mesi, la moglie e il bambino di Claudio stavano nella loro casa di campagna. Avemmo alterchi violenti, più volte io esigendo una somma pazzesca, "per garantirmi la vita", così dicevo. La sera che precedette le tue nozze ero andato da lui, sapendo ch'egli aveva riscosso una forte somma, ricavata dalla vendita di alcune terre, alla quale era stato costretto essendosi venuto a trovare in ristrettezze. Avevo in animo la minaccia estrema, poiché pensavo che quella fosse l'occasione per strappargli ciò che volevo. Avevo portato con me la rivoltella pensando di impaurirlo, convinto che egli avrebbe passato comunque sotto silenzio la mia minaccia, per non compromettersi. (La rivoltella, ti ricordi? La "Glisenti" che comprammo insieme noi amici, una per ciascuno, tutte uguali! Pensavamo di essere cresciuti, possedendo una rivoltella. Solo Arrigo rifiutò di acquistarla, nel timore d'impressionare sua madre se l'avesse scoperta. A questo mi doveva servire!) – Trovai Claudio cordiale. Uscimmo per cenare in un ristorante del centro, poi andammo a teatro. La rivoltella mi pesava nella tasca di dietro dei calzoni. Dopo il teatro Claudio mi invitò ancora a casa sua. Prendemmo un taxi traverso la città. Mi parlò affettuosamente, dicendomi che dopo quella sera ci saremmo detti addio da buoni amici, mi avrebbe dato in regalo cinquemila lire. Giunti nella sua casa riprendemmo il discorso; io affermai che tale somma rappresentava una sciocchezza. Ma egli seppe parlarmi nel suo particolare modo di presentare le cose, volgendo il discorso al patetico, fino a convincermi. Disse di potermi procurare un buon lavoro come impiegato nell'azienda di un suo amico industriale.

«Quella sera dormii da lui, e siccome mi alzai presto l'indomani in modo da non mancare al tuo matrimonio, egli era ancora a letto quando io fui vestito. Egli si alzò per salutarmi. Mi ripeté, questa volta severamente, senza più l'affettuosità della sera, che dovevo mettermi bene in mente che quello era un addio e che sarei potuto tornare a trovarlo da amico, il giorno in cui mi fossero scomparse le strane idee dalla testa. Aveva preso in mano il portafoglio. Aprendolo aggiunse che comunque egli sarebbe partito quel giorno stesso per un lungo viaggio all'estero. Capii la bugia in quel che diceva, eppure mi ci attaccai come ad una verità, convincendomi per primo delle parole che via via pronunciava. Egli contava i cinque fogli da mille uno per uno, togliendoli dal portafoglio che vidi gonfio di biglietti e d'assegni. Geloso e pazzo ormai, lo scongiuravo di portarmi con sé; un'invidia furiosa per la sua vita a venire di viaggiatore felice mi scuoteva tutto, al pensiero di relegarmi in una stanza d'ufficio senza più lui. E siccome egli si schermì con un sorriso di compatimento, gli urlai di darmi non cinque ma cinquantamila lire. – Da quel momento perdetti ogni controllo. Intravedo adesso, nella angoscia, Claudio che davanti alla mia assurda protesta chiude il portafoglio e lo posa sulla toletta, si batte le dita sulla fronte per deridermi. Dovetti cavare la rivoltella e al mio gesto egli mi si gettò addosso, perché sentii il suo fiato sul mio volto acceso. Sparai senza coscienza, senza nemmeno sentire il colpo tanto egli mi era sopra e l'avevo colpito a bruciapelo nel petto. Cadde fulminato; gli avevo schiantato il cuore. – Quando egli fu a terra, riverso, tornai alla ragione. Con una lucidità d'automa, che mi ghiaccia al ricordo, lo scavalcai, presi il portafoglio sulla toletta, gli anelli che conservava in una scatola vicina e l'orologio da polso che vidi sul comodino. Cercai la chiave nei suoi pantaloni appesi al comò; uscii chiudendo a mandata la porta del villino e il cancello. Il viale era deserto; raggiunsi l'Arno, e inosservato vi gettai le chiavi e la rivoltella. Camminai a lungo, disorientato, non riuscendo a connettere un pensiero, accaldato, come invischiato nei miei panni. Poi mi ricordai che stavate aspettandomi. Tolsi di tasca l'orologio che segnava le undici; tante ore dovevo aver camminato, e mi trovavo sui Colli. Di corsa mi precipitai verso il Quartiere. Salendo le scale ricordai che ti avevo promesso un regalo e subito pensai all'orologio che mi balzava nella tasca. (L'orologio con le lancette una verde e una rossa, per non so quale scaramanzia, e che ti parve una curiosità priva d'importanza.)

«Lasciandovi, tornai a casa. Dormii tutta la giornata e la notte come in un collasso. Mi ridestai madido di sudore, ma con la mente chiara sull'accaduto, sorpreso che nessuna sensazione di rimorso o sgomento mi assalisse. Avevo la certezza che per alcuni giorni almeno, nessuno sarebbe andato a cercare Claudio; subito associai il pensiero di avere tutto il tempo disponibile per cambiare gli assegni. Falsificai la sua firma. Agivo per malefica intercessione, col demonio alle mie spalle. Andai in due banche diverse ad incassare. A sera avevo nelle mani trecentomila lire. Il contatto e il colore di quei denari mi sconvolsero la mente. – So di avere comperato un'automobile, di essermi stabilito a Roma; ma sono tutte cose che altri mi rimproverano ed io dico sì sì, perché è certamente vero; io non so. Ho vissuto per sei mesi la vita di un altro essere che non ero più io; come se fossi esorbitato dal mio involucro e la mia carogna sguazzasse nel pervertimento, in una frenesia infernale, spargendo denari vanamente, in fiori e feste, in abiti e benzina, in cose e fatti che non ricordo. Il tutto mi appare fuggente, su una campitura astratta, che non ha confini né prospettiva nella memoria. Che io non possa ricordare, ad esempio, di Roma, né una via o una piazza ti può dimostrare l'anormalità in cui ho vissuto sei mesi. Solo mi resta vivo e netto davanti agli occhi il corpo nudo di un adolescente, in una stanza ricca di tappeti e soffusa di luce; egli disteso su un sofà di colore acceso, e la mia figura che lo carezza e blandisce. È l'ultima disperata tentazione del Maligno che mi raggiunge dentro questa cella. Mi si fiaccano le membra per vincere la tentazione. – Finché un giorno vennero ad arrestarmi. Di colpo bruciò nella mia mente la lunga parentesi. Fu come se gli stessi agenti che mi ammanettavano non fossero con me nella stanza di tappeti e fiori nella quale mi scoprivo, ma sulla soglia della camera di Claudio, con lui caldo e riverso ai miei piedi...»

XXVI

Siccome la lettera era stata data da Gino a sua sorella di soppiatto, durante una visita al Carcere, prima di metterla in busta per spedirla a Giorgio non vincemmo la tentazione di leggerla. Anzi, la leggemmo, Arrigo ed io, subito dopo ricevuta dalle mani di Gisella, rifugiandoci nella stanza separata della latteria di via dell'Agnolo.

Era un rigido pomeriggio di dicembre; l'inverno 1935, in cui per tutti noi amici sotto forme diverse doveva accadere un qualcosa che avrebbe deciso della nostra vita, nel senso che, dopo il fluttuare dei sentimenti adolescenti, ciascuno di noi avrebbe fatto un gesto, detto una parola o commesso un'azione che lo avrebbe impegnato cuore e mente per l'esistenza intera. Quando vogliamo spiegarci diciamo destino ed è invece soltanto la condanna che noi uomini ci decretiamo per assuefarci alla vita, piegarci in essa relegando il nostro corpo nella sua prigione, con la speranza riposta nel più segreto angolo del nostro inespresso morale.

La lettera era scritta su otto facciate di una carta a quadretti, da una calligrafia ferma e minuta, con un inchiostro pallido che dava la sensazione di un documento tenuto lunghi anni segreto.

Avevamo ordinato un ponce. Il liquido nero, fumante nei bicchieri, lentamente si raffreddò senza che noi vi badassimo. C'eravamo seduti entrambi da uno stesso lato del tavolo, io tenevo la lettera e leggevo a bassa voce, Arrigo mi aveva passato un braccio dietro le spalle per essermi più vicino e seguire con lo sguardo la lettura. Nella stanza della latteria eravamo come soli; in un angolo opposto una coppia d'innamorati si ricambiava in vezzi e risa sommesse il proprio contento. Leggevamo, e la commozione che ogni parola, ogni episodio, avrebbero potuto destarci, veniva sopraffatta da una curiosità morbosa. Ci sentivamo inconsciamente attori e responsabili di una storia che andava al di là delle facoltà d'intendere che ci erano date. Se posso essere inteso vorrei dire che Gino ci appariva una creatura superiore, che comunque si era reso possibile una gesta; ne eravamo ammirati. Sgomenti ed ammirati, con un sentimento di ossequio e di amarezza insieme, nei suoi riguardi. Ci pareva perfino incredibile che quella lettera fosse stata scritta pochi giorni prima, fra le mura di un Carcere ch'era a cinquanta metri di distanza dalla latteria, da un uomo che conoscevamo bene per avergli stretto la mano più volte, per averci trascorso assieme gli anni della fanciullezza. Bensì scorrevamo quelle righe come ci venissero da secoli lontani a ricordarci cose e fatti vissuti in un'altra età, su di un diverso pianeta. Era con un senso di animosa paura e di curiosità spietata che leggevamo. E leggendo, il tempo scorreva alle nostre spalle: traversava i nostri cuori l'ombra di un passato.

«Pensi che si ucciderà?» chiese infine Arrigo.

«Può darsi. Ma se ora crede in Dio, come dice, non dovrebbe farlo.»

«È vero.»

Arrigo ebbe un brivido. Si scosse in tutta la persona, si stropicciò le mani come per riscaldarsi. Disse:

«Queste cose mi suggestionano. Se non ci fossi qui tu, non sarei più capace di alzarmi. In questo momento mi sembra che non debba esistere più nulla. È come se tornando a casa non ci dovessi trovare più nessuno. Capisci?»

«Sì, lo provo anch'io. Ma poi basta incontrare qualcuno perché tutto passi.»

Eravamo due ragazzi di nemmeno vent'anni, e di noi stessi sorpresi, della nostra natura. Arrigo disse:

«Quando penserò a Gino in quella cella chissà per quanti

anni, mi si gelerà sempre il sangue nelle vene. Da ragazzi era diverso. Questo fatto ha segnato la fine di qualcosa, come se ora ciascuno di noi prendesse una strada diversa. Ed è proprio così. Carlo pensa alla guerra. Giorgio ha le sue idee che lo faranno finire come suo padre. Tutti fatti che vanno fuori dell'ordinario. Mi sembra, quando ci si ritrova, che io non possa parlare più con nessuno perché tutti hanno idee diverse dalle mie. Anche tu la sera ti chiudi coi tuoi libri, ed io dopo avere accompagnato Luciana, prima di andare a letto, mi trovo solo per delle ore senza sapere che fare. Mi metto a cantare la nanna a Renzino in mancanza d'altro.»

«E chi ti ha detto che anche a me non succeda lo stesso? Ho ricominciato a studiare per conto mio proprio perché mi sentivo solo. Ora sono alle prese con Dante. Mica ci capisco molto, ma poi leggo le note e imparo la storia. Poi leggo dei romanzi. Te li passerò.»

«Mi alzo presto per andare al forno, ho poco tempo per leggere.»

«Ma hai Luciana, cosa vuoi di più?»

Uscimmo dalla latteria. Era inverno nel Quartiere. I venditori di caldarroste stavano agli angoli delle strade. Dietro i vetri appannati delle osterie, v'erano uomini seduti ai tavoli, con le carte in mano e il litro davanti. Le donne, curve dal freddo, negli scialli striminziti, le mani sotto i grembiuli, traversavano le strade. Dei ragazzi, naso rosso e muco rappreso, posavano petardi sulle verghe del tram. Alla fontanella di piazza Santa Croce l'acqua era gelata nella grande conchiglia di marmo che la riceveva. I vetturini si riscaldavano incrociando le mani sotto le ascelle. Sulla via Pietrapiana si animava con le luci dei negozi, il traffico della sera; davanti al venditore di castagnaccio v'era sempre ressa di avventori. E il trippaio scodellava il lampredotto appena bollito: sfriggeva al vento l'acetilene.

A casa di Arrigo, con Maria e Luciana, trovammo in visita Olga, che cullava Renzino fra le braccia, con un'aria compresa. Luciana disse:

«Olga, perché non vieni al cinema con noi?»

«Portateci anche Valerio, così farete due coppie» aggiunse

Maria. «Sempre che Valerio rinunci alla lettura. Lo sai, Olga, che Valerio si è fissato con i libri?»

Renzino piangeva. Olga lo depose sulle ginocchia di Maria. Rispose:

«Ma lo sappiamo tutti che Valerio è matto.» Si volse verso di me sorridendo, come per sottolineare con lo sguardo quel tanto d'affetto che v'era nelle sue parole. E siccome Luciana la sollecitava, ed io mi ero dimostrato entusiasta della proposta, Olga disse:

«Se proprio volete, ci vengo volentieri. Carlo è ad un banchetto di soldati in partenza per l'Africa, chissà quando torna.»

Per la prima volta tenevo Olga al mio braccio. Era un poco più bassa di me, aveva un'andatura sciolta di adolescente; Luciana stessa sembrava risentire il peso di un'età, a confronto della sua franchezza di gesto, scevra di ogni femminino sospetto. Olga indossava un cappotto tagliato ad uomo, abbottonato sotto la gola; ne spiccava la faccia angelica e chiara, la massa dei biondi capelli. Io ero contento di essere nato, quella sera; non Abissinia, guerra, o segreta speranza avevo in cuore, ma in ogni goccia del mio sangue che per avventura avessi versato, vi sarebbe stata specchiata l'immagine di Olga, la struggente tenerezza del suo volto. Siccome aprivo gli occhi alla conoscenza su un'edizione popolare della *Divina Commedia*, pensavo a Beatrice, pensavo a Matelda, a Piccarda pensavo ingenuamente. Col cuore che mi batteva di trepidazione, pronunciavo parole che riuscissero gradite alla mia compagna, in modo da strapparle un sorriso, un segno di consenso alla mia gioia. E la mia compagna era una fanciulla di sedici anni, una chioma d'oro, un chiaro sguardo innocente; aveva le mani nei guanti di lana verde, le scarpe a mezzi tacchi, e i calzettoni di filo sui quali ricadeva il cappotto scoprendo i ginocchi nudi, un po' paonazzi dal freddo.

Nel cinema, non avendo trovato posto vicino, ci dovemmo separare da Arrigo e da Luciana. Sedemmo Olga ed io un po' distanti dallo schermo, sul quale si rappresentava una patetica storia di guerra e d'amore.

L'attore James era occupato nelle fogne di Parigi; emergeva dalle botole sulla strada la sua alta figura dinoccolata, il suo volto fresco e leale, lo sguardo di bontà negli occhi chiari. Un giorno, insieme al sole che lo saluta mentre risale dal ventre della terra, incontra l'attrice Simona, una ragazza tutta corruccio e malizia, bella come un bel gatto e come questo docile e ribelle. Gli uomini, nel mondo, hanno fatto del male a Simona, ed essa affonderà nel peccato oltre l'angolo di strada che sta per voltare, ma James esce dal tombino sulla strada, la prende per mano e la conduce nella sua soffitta ove a sera egli parla con le stelle, nel settimo cielo, con gli amici gatti che assomigliano alla bella Simona. E James ha il cuore di Giorgio, io lo sento, vorrei dirlo a Olga che esclama: «Bello!», e si stringe sulla sedia; ma ho il timore di offenderla, non so perché. Sto cheto a guardare l'amica seduta al mio fianco, nel silenzio animato della platea. Ora, sulla felicità dei due eroi cade l'ingiustizia della guerra. Simona interrompe smarrita l'allegra giravolta che le ha strappato la contentezza del suo abito di sposa. James è soldato, un soldato lungo e impacciato, con due chiari occhi che si fanno coraggio. Simona resta sola nella soffitta. Anche il canarino è triste dentro la gabbia, ed i gatti miagolano di tetto in tetto alzando il muso alle stelle. Finché passa l'uragano e James torna alla sposa senza più luce nei chiari occhi di fanciullo.

Olga piange, raccolta nella sedia. Io le cerco la mano libera dal guanto, la prendo nella mia delicatamente; ed Olga me l'affida come per consolazione. Si accende la luce nella sala. Arrigo e Luciana ci chiamano per uscire. Olga è tuttora immedesimata nella favola, ne parla con un trasporto che denuncia la sua sensibilità e la sua innocenza; le passano sul volto sofferenza e sconforto tali da sorprendermi per la partecipazione che ne traspare. Ma basta un nulla per distrarla dalla sua intensità: basta la mostra di una pasticceria ove sono esposti pani di cioccolata e di torrone, perché essa batta le mani desiderosa, o che da una porta di negozio, aperta e chiusa un istante, ci raggiunga la voce della radio che trasmette canzoni di guerra, perché la realtà la possegga di nuovo. Esclama:

«Sapete che la mamma ha scritto a Carlo approvando la sua domanda di volontario? Dice anche di aver dato la "fede" e un braccialetto d'oro per la sottoscrizione. Brava, non vi pare?»

Arrigo accompagnò Luciana, entrambi ci salutarono. Rimasti soli, Olga si liberò del mio braccio, dicendo:

«Può darsi che incontriamo Marisa e chissà cosa può pensare.»

«Nulla può pensare. Ci siamo lasciati da buoni amici, cosa credi? Ci siamo accorti che non ci volevamo bene. Ossia, ci volevamo bene ma non eravamo innamorati.»

Svoltammo per via Mattonaia. La piazza del Mercato era deserta, battuta dal vento in tutta la sua ampiezza: costeggiavamo le case per ripararci. Olga mi chiese:

«Ma come si fa ad essere sicuri di amare?»

Improvvisamente mi vennero delle parole alle labbra; senza una percezione della posta che stavo giocando, dissi:

«È facile, credo. Quando si pensa ad una persona giorno e notte, e non si è felici se non accanto a lei, allora siamo innamorati. Io, per esempio, sono ormai sicuro di non amare che te.»

Mi rispose una sua allegra risata; ma non tanto disinvolta che ai miei sensi avvertiti potesse sfuggire un minimo di turbamento.

«Matto che sei!» essa disse.

Io ebbi per un istante la sensazione di aver perduto inconsultamente il bene per cui vivevo. Se Olga poteva supporre dall'inizio una fatuità nelle mie intenzioni, forse non mi avrebbe più creduto. La mia accesa fantasia ingigantì il pericolo. Ero onesto, sincero in ogni mia parola. La costrinsi a fermarsi.

«Ascoltami Olga» le dissi. «Ho parlato troppo precipitosamente, ma credimi, è la verità. Ti voglio bene sul serio. Tutto il resto non conta. Cerca di vedermi sotto questo aspetto. Fatti una ragione del mio amore, poi rispondimi come ti detta il cuore.»

Eravamo a ridosso delle case, nella piazza del Mercato. Il nostro fiato si faceva compatto nell'aria gelida, nel vento che ci colpiva alle spalle, alla faccia. Olga si era appoggiata al muro; per un secondo mi apparve come spossata, come si raccogliesse, con la testa alzata verso il cielo, per distrarsi dal mio sguardo. Così stando, mi rispose:

«Forse io sono ancora una bambina, e se ti dico che anche a me pare di volerti bene, non prendermi sul serio, potrei sbagliarmi. Io non so a cosa vado incontro.»

La sua voce era incerta, quasi prossima al pianto, eppure vi si avvertiva già una difesa.

«No, non sei una bambina. Eppoi, io ti voglio bene così come sei.»

«Ma non è semplice, Valerio. Tu dici di volermi bene, e forse è lo stesso bene che ti era parso di volere prima a Luciana, poi a Marisa ed a chissà quante altre ragazze.»

«Con te è diverso. Te lo dimostrerò.»

«Non lo fai perché ora che Carlo si arruola io resto sola e pensi di approfittarne?»

Ora era lei a guardarmi negli occhi, con un che di timore, ed un'esplicita difesa. Avrei voluto rassicurarla con un bacio, questo fu il desiderio; e la sua faccia a me rivolta, il suo corpo abbandonato per le spalle contro il muro, la piazza deserta, a questo mi istigavano. Ma seppi trattenere il mio slancio, tanto trepido era il mio amore, il mio rispetto per Olga. Le risposi:

«Se lo pensi vuol dire che ancora non credi che io ti ami.»

Passò un ciclista controvento; da una finestra chiusa ed illuminata, ci pervennero delle voci. Il padiglione del Mercato era isolato e scuro nel mezzo della piazza; drizzati per le stanghe stavano appoggiati i carretti degli ortolani. Olga chiese:

«Allora credi che dovremo dirlo a Carlo?»

«Se vuoi» risposi.

«Meglio no per ora. Glie lo scriveremo. Ma prima bisogna scriverlo alla mamma.»

«Cosa c'entra tua madre?»

«Come cosa c'entra? Se facciamo sul serio, lei dovrà essere la prima a saperlo.»

Ebbe un risentimento, ed immediatamente dopo un moto sconsolato. Disse:

«Non essere anche tu contro la mamma. Se le sei contro, non ti potrò volere bene.»

C'eravamo di nuovo incamminati, seguendo l'impulso che l'aveva fatta muovere dal muro. Giunti sotto casa sua, disse:

«Sai che la mamma vorrebbe che io la raggiungessi a Milano? Le ho risposto di no proprio perché mi sembrava di non potermi staccare da te, anche se tu non mi avevi ancora parlato.»

Mi lasciò, ed io ero felice, con amore in petto. Voltando via dell'Ulivo scorsi Carlo e Marisa parlare, fermi sulla cantonata. Girai dietro la carrozza, ch'era davanti allo stallaggio, perché non mi vedessero.

XXVII

L'indomani sera facemmo la nostra prima passeggiata d'innamorati. Olga era bella ai miei occhi come la più bella creatura
della terra. Vicino a lei la mia fantasia trovava le immagini più
umili e caste; sentivo la sua figura al mio fianco un po' restia e
quasi in continuo allarme, e questo suo atteggiamento me la
rendeva più cara. Io temevo, toccandola, di poterla sciupare.
Era veramente come se avessi una cosa preziosa nelle mani,
da riparare nel cavo con tutta la trepidazione e l'affetto di cui
fossi capace. A un certo momento mi aveva chiesto:

«Vuoi che mi metta il rossetto sulle labbra?»

«Perché, se le hai così belle di natura?»

«Ma siccome mi ci passo la lingua per farle più rosse, col
freddo mi si screpolano. Poi mi tocca ricorrere al burro di
cacao. Forse il rossetto me le riparerebbe.»

«Beh, dattelo. Ma poco, perché non ne hai bisogno. Stai
meglio senza, te l'assicuro.»

«A Marisa però non glielo proibivi. Lei se lo è sempre messo, eccome!»

«Perché parli ancora di Marisa?»

«Scusami, non volevo farti arrabbiare.»

Dopo cena ero solo in casa, mio padre all'osteria, la nonna
a dire il rosario con la madre di Maria al piano soprastante.
Con indosso il cappotto, e le mani fra le gambe, come da ragazzo, leggevo la *Divina Commedia* ripetendomi i versi ad alta voce, quando udii bussare alla porta.

Era Carlo. Fui sorpreso e un po' intimorito della sua visita, tanto più lo divenni allorché lo scorsi indeciso nei modi, evasivo, dopo avermi salutato.

«Sai» mi disse. «Domani parto.»

«Sarai contento.»

«Te lo puoi immaginare. Ma sono venuto per un altro fatto.»

Io credetti di capire che Olga gli aveva parlato; cercavo l'avvio ad un discorso per spiegarmi.

«Una cosa che ci riguarda da vicino» egli aggiunse.

«Ah!» dissi io, e non ebbi più dubbi sul suo proposito.

«Giorgio ci ha insegnato ad essere sinceri, almeno fra noi, e di questo gli sono riconoscente. Ma ora... non so da che parte incominciare.»

«Toccherebbe semmai a me giustificarmi» gli dissi.

«Macché» rispose ed era visibilmente contrariato, come accondiscendesse a qualcosa che non era nelle sue intenzioni.

«Dunque il fatto è questo: mi sono fidanzato con Marisa.»

La sua confessione mi stupì; dovetti darne un segno qualunque perché egli disse:

«Hai ragione di meravigliarti.» Era sprovvisto, vergognoso quasi. «Io non so bene nemmeno perché sono venuto a cercarti. Ma rotto il ghiaccio, mi fa piacere sentire cosa ne pensi.»

«Prima di tutto, devo dirti che sono contento. Le doti di Marisa le conosci quanto me perché sei stato tu a farmele stimare.»

Dissi stimare, e pensai di essere stato ingeneroso. Aggiunsi:

«Anch'io le ho voluto bene, ma poi...»

«Questo non conta. Ne so abbastanza per essere sicuro che Marisa mi ama.»

«Ora che capisco quello a cui alludeva parlandomi alcuni mesi fa» dissi «sono persuaso anch'io che ti voglia bene.»

Carlo mi prese il braccio con la mano, stavamo seduti al tavolo. Egli era come un uomo messo a nudo, al quale non resta altro mezzo che la verità per difendersi, eppure la crede insufficiente. Io ero turbato. Questo avvenimento mi avrebbe reso più difficile dirgli il mio amore per Olga, ma stabilitisi dei rapporti di assoluta sincerità sentivo mio dovere farlo. Egli non me ne dette il tempo. Disse:

«Ormai siamo arrivati ad una certa età, e c'è un certo pudore a parlare di cose simili. Ma tu sai che io sono cambiato.»

«Perché ne vuoi parlare, se ti fa patire?»

«Sono stato bugiardo poco fa» disse d'un tratto. «Sono venuto a trovarti per qualcosa di preciso, ed ora mi vergogno di me stesso.»

Abbandonò la fronte sulle braccia conserte, scoppiando in pianto.

«Sono un poveruomo, Valerio, sarò sempre un poveruomo con questa mia natura» diceva fra i singhiozzi. «E non c'è più nemmeno Giorgio che possa darmi dei consigli!»

Cercai di quietarlo; gli offersi un bicchiere di vino.

«Se credi possa giovarti, allora parliamone, invece.»

Egli si stava calmando. I suoi gialli occhi erano pieni di lacrime e di tristezza. Disse:

«Spengi la luce. Se ti guardo in faccia non riesco a spiccicar parola.»

Lo accontentai ed egli continuò:

«Quando due anni fa mi dicesti di amare Marisa, io fui contento, ti ricordi? Ti dissi un gran bene di lei e credevo veramente a quello che dicevo. Ero tornato a lavorare e stando ultimamente accanto a Giorgio ero diventato più buono. Un poco per volta mi ero liberato della mia ossessione. Giorgio mi portava a dormire a casa sua. Ero anche più cortese con la mamma e la sapevo perdonare, riuscii a farle un discorso sul serio e la convinsi a partire. Ero diventato un altro, un po' quello che sono ancora; e tutto per merito di Giorgio e della volontà ch'egli mi aveva aiutato a ritrovare. Olga era la mia consolazione e la vedevo crescere, lei almeno, onesta fra il brutto che l'ha circondata. Pensavo anch'io di potermi sposare, un giorno. Ma poi... Non so spiegarti. Fu una cosa lenta; piano piano feci chiaro dentro di me, e mi accorsi che non c'era altra donna all'infuori di Marisa che avrei potuto amare. E Marisa era ormai la tua fidanzata, vi volevate bene. Io vi guardavo con rassegnazione, si può dire che vivessi all'ombra della vostra felicità, amando sempre Marisa ma senza più desiderarla, trovando quasi giusto di scontare in questo modo l'offesa che le avevo fatto. – Ora ho vergogna a parlarti di tante cose, anche se siamo al buio. Fatto sta che una sera dell'estate scorsa, incontrai Marisa, e nel salutarla mi accorsi che piangeva. Non sapevo quello che poteva essere accaduto fra voi due, ma capii che lei soffriva, e siccome le dissi che la colpa doveva essere tutta tua e che ti avrei parlato come meritavi, Marisa mi scongiurò di non farlo. L'accompagnai fino a casa e quella sera mi accorsi di non avere rinunciato a lei, di desiderarla ancora. Me ne vergognai in cuor mio come un ladro. Poi si profilò la possibilità della guerra e mi ci buttai ad invocarla come un disperato. Io credo alle ragioni che portavo facendo arrabbiare Giorgio, ma non sarei stato così accanito per la guerra se non avessi avuto questa piaga che mi bruciava. Credi davvero che non pensi come lascerò Olga, e che forse la mamma verrà a prenderla e la porterà con sé chissà in quale ambiente?»

«Ecco, senti, Carlo.»

«Lasciami parlare. Marisa era diventata di nuovo la mia ossessione; non dormivo più pensando a lei. È la sola donna che abbia conosciuta, la sola che abbia desiderata, la sola che possa avere; e questo lo so bene, com'è vero che sono qui seduto. Ci siamo incontrati ancora dopo che vi siete lasciati; ed è stato come se ci fossimo riconosciuti a distanza di anni. Lei mi ha confessato di non avere fatto altro, in fondo, che cercare di allontanarmi dalla sua mente in tutto questo tempo. Ci sarebbe riuscita se tu l'avessi amata. Ora partire mi pesa. Sono un poveruomo, Valerio, ancora invischiato nella mia natura. A volte quando penso più intensamente a Marisa, dubito di lasciarle un vero ricordo di me, e lei è una ragazza accesa... Mi vuole bene, ma se altri la dovessero tentare...»

Ebbe una crisi più forte di pianto. Ormai assuefatto al buio della stanza, distinguevo la sua ombra, seduta al tavolo, le spalle scosse dai singhiozzi. Mi alzai, ma egli mi prevenne:

«Non accendere. In questo momento la luce mi fa paura.»

«Consolati» gli dissi. «Io credo ormai di conoscere Marisa. Sono certo che ti ama e che ti aspetterà come la migliore delle ragazze.»

«Anch'io me lo ripeto» mi rispose Carlo piangendo, a testa reclina sulle braccia. «Ma se dovesse accadere vorrei che almeno fosse ancora con te, che non puoi più toglierle nulla.»

I singhiozzi lo sopraffecero. Pianse a lungo, ed io sentii di troppo qualsiasi parola: ero sgomento della sua passiva disperazione. Poi udii la nonna salutare dal piano soprastante e scendere le scale. Invitai Carlo ad alzarsi. Uscimmo nelle strade e l'aria fredda della notte invernale gli fece bene, lo quietò alquanto. Potei dirgli:

«Ti prometto invece che sarò un buon amico di Marisa, siccome ho imparato a stimarla. La guerra finirà presto, vedrai. Però tu non devi amarla soltanto, Marisa, devi anche avere fiducia in lei.»

Sul portone di casa sua egli mi strinse la mano. Ci abbracciammo ed io gli feci tutti i miei auguri. Poi gli dissi scherzando:

«E se nel frattempo Olga si fidanzasse? Con me, per esempio. Tu che diresti?»

«Sta tranquillo» mi rispose «che Olga ha più cervello di noi due messi insieme. Si sa guardare da sé.»

Fui contento di vederlo finalmente sorridere. Partì l'indomani, raggiunse un battaglione volontari per il corso d'istruzione: ai primi di aprile s'imbarcava per l'Africa.

In quei giorni sapemmo che Gino era morto nel Carcere, consumato dalle estasi e dai digiuni.

XXVIII

Giorgio era stato assegnato a un reggimento di Verona che presumibilmente sarebbe rimasto in Italia. Scriveva spesso a sua moglie, aveva anche risposto a Gino, ma la sua lettera giunse al Carcere quando Gino era già morto, e così andò perduta. Più raramente scriveva a me, un paio di volte in quell'inverno; mi diceva di sapersi arrangiare abbastanza sotto le armi, ove aveva incontrato un vero amico, un operaio milanese suo coetaneo. Mi parlava della città che lo ospitava, di una piazza delle Erbe che assomigliava al nostro Mercato e del fiume, l'Adige, diverso dall'Arno, meno largo e sprofondato sotto le spallette. Mi raccomandava di riflettere sui discorsi che avevamo tenuti ultimamente, consigliandomi «di avvicinare Berto, che magari a volte» mi scriveva «è svagato, ma sa il fatto suo».

Ma con Berto, ora che mancava Giorgio, i rapporti si erano diradati. Io la sera difficilmente uscivo, tutto preso dalle mie letture, e la domenica di rado egli si affacciava nel Quartiere. In novembre si era sposato, ma ciò non aveva cambiato in nulla le sue abitudini. Se Maria gli chiedeva della moglie, lui rispondeva col franco sorriso sulle labbra: «Sta bene. Un giorno o l'altro te la farò conoscere». Ma poi, salutata Maria e fatte le moine a Renzino, scendeva furtivo le scale del nostro casamento, si fermava al primo piano ove la porta era socchiusa e dietro di essa stava Argia ad attenderlo.

La relazione fra Berto ed Argia durava dall'estate precedente. Avevano avuto modo di intendersi durante i balli della domenica. Argia era una donna nel fiore degli anni, bella quanto può esserlo una popolana di trent'anni allevata nelle case buie del Quartiere. Il marito, malaticcio e bevitore, la trascurava. Berto dovette rappresentare per lei uno spicchio di cielo da godere tutt'occhi, prima che scenda la sera. Credo che non vi fosse amore vero e proprio dalle due parti, almeno all'inizio, solo uno scambio di giovinezze, reciprocamente grate dell'offerta, della vita. Per Argia, Berto era il primo amante; essa gli aveva ceduto naturalmente, simile a un frutto che aspetta la mano che lo colga: ne freme appena un attimo la fronda a cui sta appeso. Già dalla primavera le era morto il bambino, guasto del sangue paterno e che il suo latte non era riuscito a recuperare. Ora Argia era tutta esposta coi sensi al desiderio di Berto, gli si dava quasi senza peccato; riversava sul marito, reduce dall'osteria, eccitato e lamentoso, le affettuose premure di cui avrebbe ricoperto il bambino. Lavorava assiduamente a rivestire i fiaschi, permettendo a sé e al marito la povertà di Quartiere. Di tanto in tanto il marito, bravo mosaicista un tempo, tornava per una settimana al lavoro: erano per Argia i giorni dell'abbondanza, durante i quali poteva confezionarsi una bluse nuova o comperare un paio di calze, risuolare le scarpe a sé e allo sposo. Berto era un uomo sano, giovane e sprovvisto di fantasie; rodeva il pane dei giorni spontaneamente, spendendosi per quanta gioia il suo corpo vigoroso potesse acquisire. Una sera che precipitosamente si era dovuto rifugiare da me essendo sopraggiunto il marito di Argia, dinanzi al mio impacciato riserbo aveva detto:

«Sei un coglione se pretendi di giudicarmi. Vuol dire che attribuisci alle cose un senso diverso da quello che hanno. La vita è un fatto semplice. Tu mi piaci ed io ti piaccio, tanto mi dai tanto ti rendo, così va impostata la questione. Mascalzone sarei qualora Argia avesse un marito che l'adora e soltanto per capriccio lo volesse tradire. Ma nel caso particolare io non tolgo nulla a lui, dò a lei quella consolazione che le manca e mi prendo la mia parte di piacere. Lo stesso vale per Argia rispetto a mia moglie che, povera creatura, ha una malattia che mi proibisce perfino di praticarla. Ognuno ha le sue malinconie, non dubitare. Ma bisogna sapersele scrollare di dosso, cercando il più possibile di evitare di fare del male.»

«Io non intendevo affatto giudicarti» gli risposi «non sono mica un prete.»

«Né io ti ho detto questo per difendermi. Soltanto ho voluto avviare il discorso per poterti dire francamente che da un po' di tempo mi piaci poco. Un operaio che la sera si mette a leggere le poesie, mi puzza. Tu devi essere un ipocrita, e Giorgio si dev'essere sbagliato sul tuo conto.»

«Per questo mi eviti?» gli chiesi.

«Non proprio per questo, ma per il fatto che mi pare non ci sia nulla da dirsi fra di noi. Certo, stimo più Carlo di te, almeno ha avuto il coraggio delle sue azioni.»

«Ma io ho un anno meno di lui, sarò di leva soltanto in maggio» mi difesi.

«Ah sì? Ti facevo più grande.»

«Io invece ho fiducia in te, vorrei che si parlasse di politica e tu mi spiegassi certe cose.»

«Lasciamo perdere, Valerio. Tu sei troppo giovane, a quanto mi dici. Restiamo buoni amici e riprendiamo il discorso quando sarai tornato da fare il militare.»

Mi lasciò scontento. Ero umiliato e me ne sfuggiva la ragione. Quello che Berto mi aveva detto ristabiliva la distanza fra i suoi trent'anni ed i miei diciannove; mi parve di essere ancora un ragazzo che compitasse l'alfabeto, che facesse le aste sui quaderni. Le sue parole mi avevano messo a tu per tu con la mia coscienza; mi trovavo incapace a formulare un pensiero che quietasse l'oscuro rimorso che mi assaliva. Col Dante aperto sul tavolo, gelato nelle ossa, alla poca luce del salotto mi sentii una creatura inutile, involontario traditore di qualcosa che non ero riuscito a capire. Mi pungeva il senso di una colpa commessa inconsciamente nel sonno e di cui, col risveglio, avessi perduto la memoria. Solo e infreddolito, svuotavo il mio cuore di ogni vanità. Avvampai al ricordo del mio proposito di prendere un diploma per poter passare dall'officina negli uffici. Il cuore stretto dall'angoscia, quasi fossi scampato ad un pericolo mortale, pensai ad

Olga, fantasticando oneste gioie, casa e lavoro, figli, e di sera in sera le strade del Quartiere.

Rientrò mio padre, e io gli dissi:

«Babbo, voglio diventare un uomo sul serio.»

«Perdio, Nano, che paroloni» mi rispose. «Del resto, sarebbe l'ora» aggiunse.

Scrissi a Giorgio informandolo dei miei nuovi propositi. Mi ripromettevo di incontrarmi un giorno con lui e con Berto, a fronte alta.

Fioriva intanto il mio amore per Olga, metteva profonde radici nel sangue, mi faceva piegare allegramente sul tornio il pensarla nel laboratorio intenta al lavoro che le si addiceva, cioccolata e carta argento fra le mani. Olga diventava sera per sera più intima, teneramente si apriva la rosa ch'essa era. Io sentivo la sua mano cercare la mia nella strada in ombra, la sua voce velarsi di tremore a un mio complimento d'innamorato.

L'inverno volgeva alla fine. Fu marzo quando le detti il primo bacio.

Siccome Arrigo e Luciana dovevano sposarsi in maggio, avevano pensato di andare ad abitare nella casa di Olga, occupando la camera di Carlo e il letto che era stato della sua mamma. Olga acconsentì con entusiasmo; già Arrigo pagava il subaffitto, e per non lasciare Olga sola la notte, la madre di Arrigo andava a dormire da lei. Non potemmo nascondere più a lungo agli amici il nostro idillio. Maria mi tenne un discorso da sorella maggiore, minacciandomi col dito, con parole sincere ed accorate mi fece capire la cattiva azione che avrei commesso se non mi fossi dimostrato più che leale con Olga. Da quel momento Maria sembrò vigilare ogni nostro passo; sua madre la fiancheggiava parlando ad Olga ogni sera. Olga ed io eravamo contenti del loro interessamento; ci strappavamo i baci di nascosto, ci appariva una dolce marachella ottenere di recarci al cinema soli.

E nel tepore di fine marzo sbocciarono i gerani sul davanzale, l'acqua dell'Arno aveva ripreso il suo verde colore dopo le piene invernali, i platani del Viale rinverdivano; la gente faceva di nuovo circolo attorno al giocoliere ed ai suoi cani, in piazza Beccaria. Il Dante era chiuso e riposto nel cassetto del tavolo. Io parlavo a lungo con mio padre e lo sentivo amico come ai tempi dell'adolescenza; la nonna diceva che più crescevo più assomigliavo nel volto a mia madre. Avrei voluto bruciare i giorni ed i mesi, scontare il mio anno e mezzo di soldato, sposare Olga, perpetuarmi nella felicità.

Giorni memorabili, dal febbraio all'aprile, che uno ad uno potrei enumerare, evocando le ore ed i minuti, i luoghi e l'aria, le case, le mura attorno al nostro amore. Ed anche le parole inquiete che ci scambiammo quando, per distrazione o con un'intenzione precisa, io portai il discorso su sua madre, adombrando un giudizio. Olga allora diventava scontrosa, decisa in una difesa che sapendo disperata pensava di far valere con l'assolutezza. Si oscurava improvvisamente, gli occhi belli incupivano nel loro colore; contratta alle mandibole, le si immaginavano i denti compressi a ritenere una violenza. Il giorno che Olga scrisse alla madre del nostro fidanzamento, costei rispose disapprovando; diceva che per sua figlia avrebbe sperato di più e di meglio di un operaio di Quartiere, ma che comunque fidava nel buon senso di Olga.

Olga mi aveva mostrato la lettera della madre sorridendo, e quasi con un senso di compiacimento. Io non seppi contenermi e le dissi:

«Ma che diritto ha tua madre di parlarti così?»

«Il diritto che hanno tutte le mamme» essa rispose.

«Ma non lei.»

«Basta, Valerio!» Strinse i pugni come una bambina.

«È la mia mamma. Io non voglio sapere altro. Tutto quello che fa e dice va bene perché è la mia mamma.»

«Ma in questo caso ha torto. Noi ci vogliamo bene, dunque lei ha torto.»

«Sì, ed io glielo scriverò. Vedrai che piano piano si ricrederà.»

Si era sciolta dal suo risentimento, cercava di conciliare con un sorriso il mio rancore. Stavamo sul portone della sua casa (avevo scorso la lettera alla luce di un lampione). Olga mi sollevò le mani congiungendole come nell'atto dell'adorazione, poi mi batté contro le sue a palme aperte, secondo un vezzo col quale manifestava la propria contentezza.

«Sorridi Valerio, su. Fammi felice.»

Io l'attirai a me per la vita. A metà delle scale ci baciammo. Le dissi:

«Lo sai che dipendo dalle tue labbra. Finirà che ti avvezzerai male. Però vorrei contare qualcosa anch'io, oltre la tua mamma.»

«Tu conti, eccome, Valerio!»

Si strinse al mio petto. E per la prima volta fu la sua bocca a cercare la mia.

«Tu sei il mio Amore» sussurrai.

XXIX

Quella stessa notte io dormivo sotto le coperte e il cappotto che mi coprivano.

Le ultime carrozze rientrarono nello stallaggio. Il silenzio della notte era sceso sul Quartiere, solo le folate di vento che facevano tintinnare i vetri delle finestre e il miagolio dei gatti davano il senso della strada, al di là delle pareti. I passi di qualche nottambulo o l'ultima compagnia che sboccava da via Rosa parlando ad alta voce, recavano l'eco di una vita assopita.

Dormivo, e forse mi fece voltare nel sonno il rumore di una carrozza che ruppe il silenzio della strada e fugò i gatti, verso le tre del mattino.

Dopo aver voltato via dell'Ulivo, la carrozza si fermò sotto la casa del mio Amore. Ne discese la madre, disse al vetturino di attenderla anche se avesse tardato. Salì le scale buie e familiari, bussò alla porta, ripetutamente annunciandosi a bassa voce. Olga si riscosse come da un sogno, e come continuandolo fu tra le braccia della mamma.

Anche la madre di Maria si era alzata, apparve raccolta nello scialle.

«Bentornata Elvira» disse. «Io sono qui perché...»

«Lo so, Olga me l'ha scritto. Anzi, Giulia, la ringrazio di avere avuto cura della mia bambina.»

Elvira si era seduta sul letto della figlia, aggiustandosi nella pelliccia che indossava. Olga si posò sullo stoino, teneva il volto sul grembo della madre che le carezzava i capelli. Giulia disse:

«Posso andare a dormire a casa mia, così lei Elvira potrà riposare nel suo letto.»

«Non importa, dobbiamo ripartire subito.»

«Anch'io mamma?» chiese Olga, sollevando la testa. Destatasi del tutto fu in piedi, stupita.

«Certo» rispose sua madre. «Sono venuta apposta a prenderti.»

Olga ebbe un gesto di sconforto. Aveva intrecciato le dita delle due mani. Disse:

«Aspettiamo domattina. Come si fa tutto d'un tratto? Anche tu sarai stanca.»

«Nient'affatto. Dobbiamo prendere il treno delle cinque. Ho portato con me questa valigia vuota perché tu ci metta lo stretto necessario. Poi quando saremo a casa avremo tempo di riposare.»

«Ma vedi, mamma...»

«Via, ubbidisci.»

E il mio Amore era tentato e contento del fatto straordinario, con la mamma davanti agli occhi a ridestarle la devozione, a gravarla di nuovo dell'oscuro dominio. "Treno" pensava forse il mio Amore, "città sconosciuta, accanto alla mamma". Si muoveva in una dimensione nuova, che le prometteva chissà cosa, chissà cosa.

Come in sogno Olga raccolse la sua roba dentro la valigia. Le due donne erano rimaste sole in salotto. Elvira disse:

«Beh, Giulia, come va?»

«Ci contentiamo. Maria ha avuto un bambino. Ora anche Arrigo si sposa.»

Nelle loro parole v'erano anni di pene comuni, vissute senza mistero sulle strade e piazze del Quartiere; e sulla bocca della gente il loro diverso modo di affrontare il destino. La precoce canizie dell'una, la sua remissività che si esprimeva in un tono spento di voce, risollevato dallo sguardo ancor vivo e giudicante, contrastava con l'artificiale biondezza dell'altra, la cui faccia dipinta recava il segno di un desiderio deluso; un'arresa stanchezza era percepibile in ogni suo gesto allorché si sforzava di simulare una volontà. (La strada si era aperta, un giorno, uguale ad entrambe, cosparsa di sassi sotto il cielo annuvolato, con due ragazzi alla sottana e gioventù in cuore, gli occhi degli uomini addosso. Ora si ritrovavano vicine, diversamente logorate, alberi comunque sfioriti, con un senso reciproco di pietà e di impaccio.)

«Mi dica, Elvira, pensa di far bene a portarsi via Olga?»

«Io la difendo. Voglio toglierla da quest'oppressione di Quartiere. Non la terrò con me. La metterò in collegio, le farò dare un'istruzione. Voglio che almeno la mia figliola goda il suo raggio di sole, quando ancora è in tempo.»

«Ma poi?»

«Faccio un'altra vita ormai. Olga non lo sa; mi sono risposata. È un caro uomo, ha una posizione e mi vuole bene.»

«Meglio così. Ma stia attenta perché dopo il primo entusiasmo, Olga potrebbe avere una grande delusione. È cresciuta in mezzo alle nostre case, qui si è formata un carattere e degli affetti. Faccia in modo che Olga non debba mai sentire nostalgia della nostra miseria. Lei dirà che farnetico dicendo questo, ma invece so quello che mi dico. Olga si era fidanzata, ed in queste sere che siamo state insieme abbiamo parlato molto. Credo di aver imparato a conoscerla, meglio di quanto lei non la conosca.»

«È giovane, e finirà col non ricordarsi nemmeno di avere abitato in via dell'Ulivo.»

«Speriamo. Certo che in questo momento Olga ha per lei, per la mamma, una venerazione; quasi aspetta ancora, mi scusi, le carezze che lei non le ha fatto quando era bambina. A volte mi pare che lei non l'abbia mai divezzata. Ha per lei gli stessi pensieri che Maria mi manifestava a dieci anni. E d'altra parte, Olga sta crescendo come donna, con dei principi onesti. Si è innamorata di Valerio, ed anche su questo ha delle idee molto a modo e dimostra di essersi attaccata al fidanzato.»

«Lo dimenticherà facilmente.»

«Può darsi che lo dimentichi e che dimentichi tutti noi e il Quartiere, perché appunto è giovane, e quando ha preso una decisione già fin da ora la mantiene a tutti i costi, magari per puntiglio. Ma è una creatura riflessiva, e dopo il primo entusiasmo, allorché si accorgerà che la nuova vita le viene regalata senza averne alcun diritto, può darsi che la disillusione sia grande e che possa renderla infelice. Non mi giudichi un'arrogante, Elvira, le parlo da madre a madre: Olga non ha mai saputo la verità su di lei. Capisce?»

Elvira si era ricomposta nella pelliccia. Il suo sguardo era torbido, le parole di Giulia la toccavano dentro. Avrebbe voluto difendersi ma sapeva di avere davanti un inquisitore al quale la sua storia era lampante e senza veli. Maggiormente la umiliava il fatto che in quelle parole non poteva trovare un'offesa, ma soltanto un giudizio morale che non concedeva scampo.

«Io so soltanto che agisco per il suo bene» rispose. Si mordeva il labbro inferiore. «Ed oggi come oggi, la casa dove la porto è una casa onorata.»

La interruppe la voce di Olga che dalla camera accanto chiedeva:

«Mi tratterrò molto mamma?»

Le due donne si guardarono in silenzio. Elvira sembrò implorare dalla vecchia amica una tacita complicità. Fu Giulia che rispose:

«Non vorrai mica ripartire subito. Almeno un mese, no?»

Olga riapparve chiusa nel suo cappotto. Pettinata e contenta, fingendo corruccio (più un vezzo che una determinazione) disse alla madre:

«Proprio non si potrebbe rimandare a domattina?»

Arrossì, aggiunse: «Sai, per salutare Valerio».

«Lo saluterà Giulia. Poi tu gli scriverai.»

E la carrozza che portava via il mio Amore passò una volta ancora sotto le mie finestre. Si risentì forse al rumore il mio corpo addormentato.

XXX

Quando Giulia (dopo la prima pietosa bugia impostale del mio subitaneo sgomento nell'apprendere la notizia) mi raccontò la cronaca della notte crudele in casa di Olga, capii di avere perduto per sempre il mio Amore. Ogni sua parola, pronunciata col trepido candore di una madre che cerca di attenuare il dolore, e insieme teme di generare una nuova precaria illusione, cadeva sul mio cuore come una goccia di gelo.

Supino a sera sulla mia branda, con gli occhi fissi sulle crepe del soffitto: «Olga», mormoravo, «Amore», sussultando ad ogni passo che si annunziava dalle scale, per ogni carrozza che si fermava allo stallaggio, ad ogni voce o suono che percepissi. Eppure mi dicevo che se Olga era partita senza darmi un segno, se era stata la sua mamma a chiederle questo ed a portarla seco, il mio Amore non sarebbe tornato mai più. Comprimevo il dolore nel cuore.

Passarono giorni, un mese forse, come in una nebbia per la mia mente smarrita. Finché riuscii a dirmi: "Così è", potei anche discutere alla mensa dell'officina, giocare al tavolo di ramino, recarmi con Arrigo alle partite di calcio nuovamente.

Ma a sera, supino sulla branda, gli occhi persi sulle crepe del soffitto, nella stanza illuminata dalla luna, lottavo solo col mio dolore in cuore. «Olga», mormoravo, «Amore». Calde lacrime mi bagnavano le guance. «Perché, Amore?», mormoravo. Agitavo nell'aria una mano come per toccare i suoi capelli biondi, le rade efelidi contate ad una ad una, le sue palpebre abbassate per vezzo affinché ci passassi il pollice in una carezza, i piccoli fori ai lobi delle orecchie. «Amore, perché?», mormoravo. E al di là dei vetri della finestra v'era la quiete notturna di Quartiere: passi sonori sui lastrici delle strade, sonore voci nel silenzio, l'acciottolio dell'acqua nelle condutture, un lontano stornello. Questo, una sera:

Fior d'ogni fiore:
or m'ha lasciato
e mi si schianta il cuore

che mi strappò i singhiozzi.

«Valerio!» chiamò mio padre dalla camera accanto. Siccome non gli rispondevo accese la luce, venne in salotto, mi toccò alle spalle. Io avevo in quel momento infinita pietà della mia pena, un desiderio come di morire. Protesi le braccia verso mio padre, mi strinsi a lui singhiozzando.

«Ragazzo mio» disse mio padre. La sua voce era rauca di sonno, e commossa, mentre mi consolava. Disse: «Calmati. Se si sveglia la nonna succede un disastro. Fuma piuttosto» aggiunse. Prese il fazzoletto che tenevo nel taschino della tuta per asciugarmi gli occhi. Poi mi accese la sigaretta.

Egli era in maglia e mutande seduto sulla mia branda. Aveva i radi capelli scompigliati, la faccia ancora assonnata. Il suo alito sapeva lontanamente di vino. Io ebbi uno slancio di tenerezza, tanto sentii di volergli bene.

Lo abbracciai ancora, non più piangendo, e sorridevo, sincero, col mento appoggiato sul suo omero.

«Fai male a chiuderti in te stesso» mi disse mio padre. «Hai bisogno di espanderti, di parlarne. Vedrai che se ne parli riuscirai a fartene una ragione prima che tu non creda. Prova con Arrigo, con qualcuno di cui ti fidi.»

«Con te allora» gli risposi.

«Anche con me, se vuoi.»

Egli si alzò. Era a piedi nudi.

«Aspetta che mi infili le scarpe e i pantaloni» disse. Tornò. «Spengi la luce, andiamo alla finestra. Se si sveglia la nonna Dio ci scampi!»

142

Così facemmo.

Aperta la finestra l'aria fresca della notte mi fu amica: agitai la testa quasi per inzupparmici. Mio padre ebbe un colpo di tosse: sputò sulla strada. Tacevamo. Era marzo, e la luna offuscata da grosse nubi, che minacciavano il temporale. Via dell'Ulivo stretta dalle due file di case, non altro che un vicolo diritto su cui cadeva il silenzio della notte, rischiarato dai quattro lampioni a muro, disposti a distanza nella sua lunghezza.

Mio padre disse:

«Dunque è stato tanto forte?» Il tono della sua voce, impacciato, mi invitava alla confidenza.

«Sì, molto. Tanto forte che non potrò mai più amare un'altra donna.»

«Ti credo. Ma per lei forse non era così, se ha potuto lasciarti.»

«Lei è una bambina. Pensa ai suoi occhi. Ti ricordi? Sono chiari, grigi chiari come...»

«Come?»

«Non lo so dire.»

«Continua.»

«Sono il suo specchio, insomma, gli occhi. È una bambina ancora, e su di lei la madre ha un ascendente più forte di ogni altra cosa.»

«Già» disse mio padre. «E poi?»

Parlavamo sommessamente. Tuttavia nel silenzio attorno, sulle case e sulle creature addormentate, le nostre parole sembravano avere l'eco. Avrei avuto mille cose da dire a mio padre, di me e del mio Amore: vi ero disposto in ogni senso, eppure non riuscivo ad esprimerle. Le parole mi uscivano improprie dalle labbra, inadatte. Attribuivo la mia confusione a quel dover parlare basso e sommesso, quasi temendo.

Mio padre mi si accostò ancora, mi passò il braccio alle spalle. Disse:

«Com'è che ti piaceva Olga? Non al modo che ti piaceva Marisa?»

«Oh no» risposi, arrossendo, un poco offeso.

«Perché ti piaceva allora?»

«Perché era bella, babbo. Perché quando le stavo vicino mi sembrava di aver accanto un essere soprannaturale e appena la lasciavo mi prendeva lo struggimento in cuore. Quello che ho oggi e non mi dà requie, cresce ad ogni ora e mi fa patire. Di giorno, la luce, le cose da fare, la gente con cui parlo, mi distraggono. Anche se fra me e le cose, fra me e la gente c'è sempre la sua immagine, riesco ad andare al di là e mi controllo. Ma la notte, o quando sono solo a tu per tu col suo viso che ho sempre davanti agli occhi, come ora, come ogni momento, più il tempo passa e meno resisto.»

Così dissi, ispirato. E non appena ebbi finito mi accorsi di non essere sincero: ciò che avevo detto mi parve non fosse la verità, o almeno non era più la verità. Fosse il braccio di mio padre posato sulle mie spalle con un senso fraterno nel contatto, fosse l'incanto del silenzio e dell'ora, un fatto estraneo o qualcosa di veramente scontato nella coscienza, non so, comunque sentii di stare inconsciamente mentendo. Mentre dicevo a mio padre: «Più il tempo passa, meno resisto» mi tacqui, turbato dalle mie stesse parole.

Fu mio padre a spiegare a me stesso. Col braccio posato sulle mie spalle, l'altro sul davanzale, mio padre operaio disse:

«Tu hai amato Olga, indubbiamente, e per il suo abbandono hai patito le pene dell'inferno. Ma questo dolore che hai sofferto solo come un cane era quello che ti ci voleva. Eri diventato un ragazzo vanesio. Ti andava tutto bene, capisci? Appena coi calzoni lunghi trovasti una ragazza che ti si dette: mettesti sotto i piedi i suoi sentimenti senza nessuno scrupolo, te ne servisti per il tuo piacere come di una donna di via Rosa. Siccome sei capace, in officina facevi la tua figura, ma lavoravi per arrivare al sabato e riscuotere la settimana, non per altro. Il tuo mestiere non ti suggeriva nulla. Ti eri un po' montato: non so perché. Appunto: perché tutto ti andava bene. Poi ti sei innamorato di Olga. Era la volta che tu facevi sul serio, lo so, ma ti ci eri messo con gli stessi sistemi di vanesio: non sapevi più distinguere una cosa dell'altra. Forse è questa la ragione per cui non sei riuscito ad attaccarla a te. E ti sei bruciato forte, fino al punto di scoppiare in pianto fra le braccia di tuo padre come una donnina. Sei ancora in mezzo alle fiamme ma credo sia già passato il peggio.»

Fecé un gesto per chiedermi la sigaretta che avevo fumata a metà, poi disse:

«Questo è bene perché ti ha messo a tu per tu con te stesso. Devi servirti del tuo dolore, per acquistare una esperienza. Già sai che Olga l'hai perduta. Con gli anni troverai un'altra donna: le vorrai meno bene, ma sarà un affetto più posato e sincero. Olga rimarrà per te una specie di voce della coscienza, un bel ricordo, magari anche un rimpianto: se non altro ti avrà insegnato a riflettere. Vedrai che d'ora in avanti anche il tuo mestiere ti suggerirà qualcosa. Sarai diventato un uomo. Lo so, tu avresti il diritto di chiedermi cosa ho combinato io nella vita per parlare così, e se non abbia avuto abbastanza dolori che mi potessero istruire. Certo, dolori ne ho avuti, tradimenti, ma sono un debole, senza la tua intelligenza, capisci? Ora ho le ossa rotte e mi piace un poco il vino. Tu invece sei ancora intero».

Cantò un gallo da una terrazza vicina, e si udirono dallo stallaggio dei nitriti. Sentimmo camminare sul piano soprastante: era certamente Arrigo che si alzava per andare al forno. Le grosse nuvole si sfilacciavano in cielo, sempre più di rado oscurando la luna. Mio padre disse:

«Andiamo a letto perché fa freddo. Ne riparleremo domani quando ci avrai ripensato e se quello che ti ho detto ti sembrerà giusto.»

Si ritirò chiudendo la finestra. Io mi ero seduto sulla branda.

«Grazie babbo» gli dissi. «Buonanotte.» Gli porsi istintivamente la mano.

Il gallo ripeté il suo grido.

XXXI

Venne anticipata la chiamata della mia classe. A metà aprile dovetti presentarmi: fui assegnato a un reggimento di stanza ad Arezzo. La vita di coscritto, marce ed istruzioni, mi calò sulle spalle abbrutendomi nel corpo, che tuttavia fioriva di giovinezza: amaro fiele su amara cicuta. Nel frattempo fu maggio, e finì la guerra. Ad agosto non volli tornare a casa in licenza: ne approfittai per fare un viaggio a Roma con dei soldi che mi aveva mandato mio padre. Si perpetuava nei giorni la nostra storia di uomini: da casa e dagli amici ricevevo posta, rispondevo. Gioie e dolori, nascite e morti si succedettero. Anche Olga mi scrisse: due volte. Io trascorrevo sui libri, che il mio buon tenente mi prestava, le ore di libertà. Furono due anni di dura solitudine, in cui temperai l'anima alla speranza. La corrispondenza mi portava l'eco di una vita che più allontanandosi più mi apparteneva. Fra le altre, in ordine di tempo, ricevetti queste lettere:

Da Olga

«Tu penserai di me tutto il male possibile, ed io non so darti torto. Ti ho amato, Valerio, e ti amo ancora, ma se avessi dato retta al mio cuore che mi diceva di tornare avrei ucciso mia madre. Mi sono accorta che lontano da te posso stare mentre non resisterei al dolore che proverebbe la mamma. Questo significa che non ti amo abbastanza e che sono indegna del tuo amore. Dimenticami. Ti costerà caro, ma è per il tuo bene che te lo dico. Ho aspettato del tempo prima di scriverti perché ho voluto interrogare a fondo il mio cuore. La prossima settimana entrerò in collegio...»

Da Giorgio

«Come vedi ti ho lasciato la *stecca*. Ho usufruito del fatto di avere moglie, figlio, madre e fratello minorenne a carico, pensa che personaggio importante! e sono stato congedato avanti tempo, cosicché ora sono a casa ed ho ripreso il lavoro al magazzino. Qui nulla è cambiato, soltanto che noi ci siamo dispersi per una ragione o per l'altra, ma ci riuniremo di nuovo perché non siamo gente che si perde per la strada. Questo lo dico a te soprattutto che sei il più intelligente di tutti quanti ma che ti lasci troppo spesso trascinare dalle circostanze. Arrigo e Luciana, come saprai, si sono sposati, la mamma di Carlo gli ha regalato tutto il mobilio. Come vedi, quelli che siamo rimasti siamo sempre tutti dentro una noce. A Berto è morta la moglie ed ora dorme in casa nostra. Anzi mi dispiace che non vi siate intesi, ma sono sicuro che quando tornerai e vi conoscerete meglio tutto si aggiusterà. Qui i giornali, non avendo altro da tirar fuori, parlano di voler *risanare* il nostro Quartiere: in una parola ci vorrebbero mettere in mezzo alla strada, ma credo che il progetto resterà lettera morta. Renzino cresce e dice già *babba-babba*. Domenica sono andato con Berto a fare una gita in bicicletta e ci siamo fermati al camposanto a mettere dei fiori sulla tomba del povero Gino.»

Da mio padre

«... Noi di salute stiamo bene, la nonna si lamenta della tosse ma in realtà è sempre sana come un pesce. Ho da darti una cattiva notizia e di questo ti scriverà anche Giorgio. Carlo è morto in seguito alle ferite riportate in uno degli ultimi giorni di guerra e in punto di morte ha voluto sposare Marisa per procura. È stato fatto tutto per mezzo di telegrammi. Anche io sono rimasto molto male della sua morte perché era un bravo ragazzo e quando lo vedevo mi ricordava sempre la buonanima di suo padre... Il lavoro è sempre il solito e speriamo, ora che hanno vinto la guerra, di avere un aumento. Quello che ci preoccupa è la storia del *risanamento*, pare che vogliano fare sul serio e buttar giù la nostra casa che è compresa nella zona da demolire... Questa volta non ti posso mandare più di dieci lire perché ho dovuto pagare la pigione.»

Da Giorgio

«... Nessuno, ma Carlo meno di tutti si meritava di morire in questa guerra. Non mi vergogno di dirti che ho pianto come un bambino quando ho saputo la notizia e spero che lo stesso sia successo a te. Malgrado le sue idee era uno dei nostri, o almeno uno col quale si sarebbe potuto fare i conti a viso aperto. Ma è destino che in queste cose ci vadano sempre di mezzo gli innocenti... Marisa è ridotta come un cencio. Non so se sai che anche suo fratello, il sergente, è morto all'Amba Aradam...»

Da Marisa

«La tua lettera mi ha consolato molto. Ti sei ricordato di me in questo triste momento e conosco abbastanza il tuo cuore per apprezzare una per una le parole che mi dici. Carlo mi aveva scritto pochi giorni prima di restare ferito ed ho ricevuto la sua lettera dopo la sua morte. Era tanto pieno di vita e di progetti per il nostro avvenire che mi strazia il cuore tutte le volte che rileggo la lettera. Ma si vede che era destino che dovesse finire così. Forse io sto scontando i miei peccati, vuol dire che non ero pentita abbastanza se Dio ha voluto punirmi in questo modo. A questo aggiungi il dolore per la morte di mio fratello. La mamma è quasi impazzita dalla disperazione, mi tocca starle dietro ogni minuto. Se tu potessi vedermi come sono cambiata, dentro di me in specie, non mi riconosceresti. Prima di partire Carlo mi aveva raccomandato di conservare la tua amicizia. Io non ti avevo più cercato per non fare malignare la gente, ma quando tornerai, se vorrai, staremo un po' insieme a parlare di lui. Ora non ho più paura di nessuno e posso camminare a testa alta dinanzi a tutto il mondo. Ho lasciato il Bazar per prendere il posto della mamma al Lavatoio, guadagno di più e con le due pensioni si tira avanti benino... Spedirò la tua lettera ad Olga oggi stesso, unita a una mia.»

Da Olga

«Ti ringrazio, anche a nome della mamma, per la partecipazione che prendi al nostro dolore. È stato per noi un colpo molto forte come puoi immaginare. La mamma è talmente accorata che temo per la sua salute. Sono costretta a nascondermi in camera mia per sfogarmi a piangere. Il mio patrigno farà venire la salma in Italia. Lo seppelliremo a Milano, così ci parrà di averlo più vicino. A me sembra di aver vissuto cent'anni in questi giorni. Forse non andrò più in collegio per non lasciare sola la mamma. Ma non mi posso abituare all'idea che Carlo non tornerà. C'era preparata la stanza per lui; è tutto in ordine e lui nemmeno l'ha vista. La mamma quando ha saputo che era fidanzato con Marisa, e che l'ha sposata prima di morire, la voleva far venire quassù, ma lei ha rifiutato... Mi è stato di conforto capire dalle tue righe che non mi serbi rancore. Tutto è così lontano ormai da sembrare un sogno di ragazzi...»

Da Arrigo

«Sai che sono stato sempre uno zuccone e mi riesce poco tenere la penna in mano. Leggo le lettere che scrivi a Giorgio e sono contento che tu stia in salute e che abbia ripreso gli studi prediletti. Questa volta ti scrivo di mio pugno per darti l'annuncio della nascita del bambino che abbiamo chiamato Carlo. Il parto è andato bene, Luciana si è già alzata e lo allatta col suo latte. Purtroppo l'affare del *risanamento* è una cosa seria: abbiamo avuto la disdetta e dovremo lasciare la casa entro febbraio. Anche a casa tua è lo stesso e tua nonna è tutta disperata...»

Da mio padre

«Sì, caro Nano, siamo arrivati a questi ferri! Ci buttano fuori di casa. Nelle nostre strade c'è lo sgomento perché nessuno vorrebbe lasciare il Quartiere dove in un modo o nell'altro si guadagna il pane o c'è affezionato. Per qualche famiglia numerosa hanno promesso di sistemarla nelle case popolari, in campagna, verso Settignano, e giocoforza bisogna che ci vadano. Noi abbiamo avuto la fortuna di trovare un quartierino in via dell'Agnolo, sulla parte che non è destinata allo *sventramento*: una stanza e la cucina. Costa trenta lire al mese di più ed è piccola e più umida della nostra vecchia casa, ma almeno qualcosa si è trovato. Giorgio andrà a stare in una stanza in subaffitto in Borgo Allegri e non so come faranno tutti e tre più la suocera in una stanza. Arrigo e Luciana si ritirano in casa dei genitori di lei in via de' Conciatori, dove lo *sventramento* non arriva. Ora ti faccio un pettegolezzo, ma è la verità. Dopo che quest'autunno al marito di Argia prese quella paralisi per cui ora è permanente all'ospedale, Argia si è messa con Berto apertamente, e anche loro andranno in subaffitto non so dove, ma sempre nel Quartiere. Oggi ti ho fatto un vaglia di cinque lire soltanto, ma il nuovo padrone di casa vuole tre mesi anticipati di pigione e siccome non ci arrivo dovrò fare un debito da qualche parte. Di aumenti nemmeno l'ombra.»

Da Giorgio

«... stanno risanando il Quartiere, buttano giù le case per ricostruirle più belle e nuove, dove noi non potremo mai abitare coi fitti che verranno a costare. Questo, dicono, è uno dei primi resultati della guerra. Ma anche quelli che dopo vinta la guerra si credevano di navigare nell'oro si stanno svegliando con la bocca amara. Torna il discorso che facevo due anni fa al povero Carlo, ti ricordi? Anche tu eri d'accordo con lui. Chi ha voglia di lavorare vada in Abissinia, dicono, e in realtà chi c'è andato manda dei quattrini, ne guadagna dieci e ne fa guadagnare centomila, questa è la morale.

Non cambia nulla per noi. Basta una malattia, sotto quel clima, per buttarti a terra più povero che mai. E anche lavora lavora, quando hai messo da parte qualche migliaio di lire, sarai sempre costretto a misurarti il pranzo con la cena. E gli altri si fanno i milioni standoti a guardare. Tanto vale restare a casa nostra, guadagnando quel poco che si è sempre guadagnato e serbarsi il corpo saldo il più possibile se verrà quel giorno...»

Da Arrigo

«Ti scrivo per darti delle brutte notizie. La mia mamma è morta una settimana fa per un attacco al cuore in seguito al dolore perché Giorgio è stato arrestato sotto l'accusa di essere un sovversivo come suo padre. Insieme a Giorgio è stato arrestato anche Berto e in casa sua hanno trovato dei manifestini. L'avvocato ha detto che è una cosa seria e bene bene che gli vada prenderanno cinque anni di confino per uno. Io ero all'oscuro di tutto e questa cosa mi ha colpito come un fulmine a ciel sereno. Ora tu capisci la situazione in cui ci si trova. Argia è andata ad abitare con Maria che per giunta è incinta un'altra volta, al quinto mese. Un disastro, e non c'è più la povera mamma a farci coraggio.»

Da mio padre

«La nonna non fa che ricordare il viaggio che abbiamo fatto per venirti a trovare. Dice a tutti che sei ingrassato e che hai imparato il francese. Ne fa una questione per tutto il Quartiere. Nella casa nuova, che come ti ho detto è una topaia, io non mi ci trovo e mi sto dando daffare per trovarne una migliore, se no quando fra poco ti congederai non ci sarebbe nemmeno dove farti dormire, se non tutti e tre nella stessa camera e tu sei un uomo ormai ed hai diritto alla tua libertà. Giorgio ha scampato il processo e gli hanno dato cinque anni di confino. Almeno lo mandassero dove si trova suo padre. Per Berto invece le cose si mettono più serie e resta in attesa di giudizio. Fa pena al cuore vedere Maria grossa di otto mesi, ma è abbastanza calma dopo che ha saputo di potere seguire Giorgio laggiù. Renzino resterà con Argia. Caro Nano, via de' Pepi e via dell'Ulivo te le puoi dimenticare. Non esistono più come non esiste più il Canto delle Rondini né il pezzo di via Rosa dove si andava a fare all'amore. Ora di via Pietrapiana è rimasto solo la parte dei numeri pari che ha di fronte i dispari di via dell'Agnolo, e in mezzo c'è un grande piazzale dove batte il sole e i ragazzi fanno buriana. Pare che presto incominceranno a ricostruire, hanno già rizzato una palizzata dalla parte dove su per giù c'era la casa nostra e ci costruiranno la nuova sede del Gruppo Rionale.»

Da Marisa

«Da più di tre mesi non ho tue notizie. Ogni tanto, quando vado col carretto a consegnare la biancheria, incontro il tuo babbo che mi dice che stai bene, ma perché tu non mi scrivi? Io sto bene in salute, anche la mamma si è rimessa dopo la lunga malattia, e da un mese circa è tornata al Lavatoio. Domani fa un anno che è morto Carlo.»

Fui poi congedato.

XXXII

Ora vagavo nel vasto piazzale là dove erano state le strade e le case della mia adolescenza, ov'ero nato alla speranza, ove un giorno il mio Amore mi aveva offerto la bocca. Tutto era scomparso durante la mia assenza. Giravo gli occhi e non riuscivo a liberarmi dall'ombra di un rimorso che sembrava chiamarmi responsabile della distruzione.

Il piano del risanamento aveva infierito nel cuore del nostro Quartiere. Partendo appena dopo l'Arco di San Piero raggiungeva Borgo Allegri e via dell'Agnolo, delle quali era rimasto in piedi un solo versante. Vista dalla prospettiva del piazzale, col sole che vi batteva contro, la fila delle vecchie case, unite l'una all'altra come un lungo caseggiato irregolare, dava un senso di tristezza. Le crepe, i logori infissi, le docce arrugginite, le stesse facciate rese sporche e grigie dal tempo, la lisa biancheria appesa alle finestre, perduti i fabbricati dirimpettai che ne ripetevano l'immagine, e smarrita la dimensione naturale della strada, mettevano a nudo il proprio squallore. Le stanze, violentemente illuminate dal grande arco di luce del piazzale, ponevano al vivo davanti agli occhi la povertà delle suppellettili. Persone abituate da anni a sedersi ad un tavolo, a servirsi di una scodella, scoprivano per la prima volta che il tavolo aveva spacchi verticali sul piano, che la scodella era scortecciata nel fondo e la sedia era più spagliata di quanto non fosse apparso fino ad allora, il materasso del letto incavato come una zana: si accorgevano di tutto questo con umiliazione ed offesa insieme.

Esercitando la mia fantasia, io cercavo di ripensare via de' Pepi e via dell'Ulivo: ricostruivo la mia casa, inventavo la finestra ove da ragazzo amavo affacciarmi a contare le stelle, appunto colà ove adesso stava una staccionata disposta in quadrato e si indovinavano gli operai lavorare alle fondamenta. Passeggiando sul piazzale mi accorsi che la gente che lo traversava invece di tagliare in diagonale per abbreviare il cammino seguiva istintivamente il tracciato delle vecchie strade. Bambini giocavano in mezzo al piazzale, sicuri poiché le automobili lo evitavano a causa dei mucchi di macerie sparsi un po' dappertutto. Quasi al limite di Borgo Allegri era stata impiantata una giostra che essendo mattino si vedeva celata dentro un grande cappuccio di tela.

Fosse dovuto alla mia lunga assenza, o più propriamente alla nuova fisionomia che quel pezzo di Quartiere aveva assunto dopo lo sventramento, io stesso scoprivo cose che non ricordavo o che non avevo mai viste: una botteguccia di merciaia che doveva esserci da sempre se gli sporti erano stinti e scrostati e nella sommaria vetrina campeggiava un cartello propagandistico incitante alla guerra, ingiallito e polveroso. Poi, un'inferriata ad altezza di uomo, che proteggeva inutilmente una finestra murata. Infine, sovrastante la soglia di una casa di via dell'Agnolo, una lunetta affrescata, nella quale era ritratto a mezzo busto un santo francescano, quasi indecifrabile sotto lo spessore dei detriti che vi si erano stratificati.

Di queste sorprese si rianimava il Quartiere. Rispetto ad esso, il mio rimorso si evolveva in una serena devozione da perpetuarsi nei giorni, in un attaccamento di nuova specie e più profondo. Nella mia camera di soldato avevo accarezzato il proposito di lasciare il Quartiere e andarmene a cercare lavoro in qualche grande industria dell'Alta Italia. Mi ero poi persuaso che avrei potuto meritare la vita soltanto scontando giorno per giorno la mia condizione nel Quartiere, fra volti cari, affetti provati, mura superstiti, nuovo Amore semmai: conquistarmi così nella speranza.

Poiché la speranza era davvero racchiusa nel Quartiere – e mura, lastrici e volti erano una costante testimonianza della nostra ragione da far valere un giorno. Se avessimo soggiaciuto a recarci nelle case nuove della periferia, in ambienti più puliti, e salubri, che non avrebbero alleviato in nulla la nostra miseria, ma l'avrebbero bensì corrotta d'altre perfide voglie e tentazioni, ci saremmo dispersi e traditi. Dovevamo invece reggere fino in fondo nella rappresentazione del nostro squallore, come un emblema appeso alla soglia del mondo, e restare uniti, spalla a spalla, fare un cerchio attorno alle nostre case in cui ogni angolo, ogni crepa erano il simbolo della speranza ed ogni sguardo, ogni corpo, un grido di incatenata protesta. Bastava che adesso la gente si difendesse nel Quartiere, anche attribuendo alla propria reazione motivi sentimentali e privati; bastava che restassero in piedi le case sufficienti a contenerci, più stretti e vicini nel farci coraggio, perché il capo della fune fosse ancora saldo nelle nostre mani e intatte le forze che lo tiravano: il momento dello strappo ci avrebbe trovati concordi e illuminati.

La sera prima, nel riabbracciarmi, la nonna mi aveva detto:

«Lasciando il Quartiere mi sarebbe parso che tu non dovessi più tornare. Qui, tutti mi chiedevano di te ed era come se tu fossi sempre presente. Poi io ci vedo poco e se esco mi sento più sicura perché le strade le conosco a memoria. A volte, se cammino un po' soprapensiero, mi accorgo delle demolizioni soltanto quando faccio per entrare in un negozio e mi trovo davanti lo spianato.»

E indugiando al tavolo dopo cena, mio padre mi aveva detto:

«Capisci com'è? Con la scusa del risanamento abbattono il Quartiere e poi ci ricostruiscono palazzi per allargare il centro della città. Nello stesso tempo costruiscono le case alla periferia. Così le imprese fanno un doppio affare, mentre le nostre paghe restano sempre uguali, oppure oggi te le aumentano e domani aumentano il prezzo del vino. È un giro vizioso, vecchio quanto il cucco, ma gli riesce sempre, che vuoi farci?»

«Fino a quando pensi gli riuscirà, babbo?»

Egli sorrise, si grattò il mento col pollice, disse:

«Vuoi che ti risponda: fino a quando non faremo la rivoluzione?»

«Perché? Non ci credi?»

«Io ci credo se tu ci credi» rispose mio padre.

Mi strinse la guancia fra due dita, compiaciuto, e quasi sorpreso: nel suo volto ridente v'era già l'ombra di un affettuoso timore. Aggiunse:

«Giorgio ti ha lavorato bene, non c'è che dire!»

Quel mattino stavo riprendendo confidenza con il Quartiere: scoprivo cose nuove sulle macerie. Ragazzi che non conoscevo mi chiedevano la cicca con disinvoltura; gente amica mi salutava stringendomi la mano, congratulandosi del mio ritorno, offrendomi da bere. Ero stato a cercare Maria ma non l'avevo trovata: con Luciana ed Arrigo erano andati a far visita alla madre di Giorgio, in campagna. Nemmeno Argia era in casa.

Lasciai la zona demolita e per via de' Malcontenti raggiunsi piazza Santa Croce. Respiravo adesso interamente l'antica aria del Quartiere. Le case attorno alla Chiesa erano illese, lo stesso allegro affanno diffuso sui volti delle persone, gli stessi operai in fila sugli sgabelli nel laboratorio dell'"Arte Musiva". Dal rumore delle macchine, dal padrone che intravidi al di là della porta socchiusa, dedussi che la segheria nella quale aveva lavorato Carlo si era trasferita in via delle Pinzochere. Ai margini della piazza stavano le carrozze, e piegato sulle reni, Egisto passava la spugna intrisa sui parafanghi. Anche l'Arco di San Piero era in piedi con tutte le sue mura, la sua umanità industriosa. Soltanto l'insegna del Bar era cambiata. Sul riquadro della porta, grandi lettere nichelate formavano la scritta: *Bar Impero*.

E veramente non c'eravamo perduti. C'era stato inferto un colpo doloroso (ne portavamo aperta al sole la piaga) ma irrigiditi nelle membra rimaste incolumi, avremmo resistito all'angoscia, al nostro disagio inacerbitosi. Se i garzoni si affollavano al carretto del trippaio, se nuovi ragazzi schiamazzavano sollevando i lembi della tenda che copriva la giostra, se quei pochi che erano andati ad abitare nelle case della periferia indugiavano a sera nel Quartiere, se tutto questo accadeva, e Giorgio, Arrigo, Berto erano vivi, con ancora i loro giovani anni, nulla era perduto della speranza. Ed io potevo girare attorno lo sguardo, felice di incontrarmi in facce amiche, mura familiari, lastrici consueti.

Mi sentii chiamare alle spalle. Era Marisa. Mi venne incontro correndo, mi strinse la mano chiudendola fra le sue.

«Oh, mascalzone! Sei tornato chissà da quanto e non ti sei fatto vedere» disse. «Sei ingrassato. Il militare ti ha fatto bene. E me, come mi trovi?»

«Mica male» risposi. Mi parve di stare mentendo e di dire la verità nello stesso tempo. «Un po' cambiata, questo sì» aggiunsi, poiché così era.

Il suo volto, non più dipinto ma appena scialbato di rossetto alle labbra, era pallido e un po' patito, ma tuttavia quel pallore le donava, quasi la illeggiadriva. Nei suoi occhi, al posto dell'antica malizia, era subentrata una luce serena, un casto languore. Portava i capelli pettinati all'indietro, con un senso di noncuranza tutta femminile. Indossava un vestito nero, chiuso sul petto da un fermaglio raffigurante un tralcio d'edera. Nell'insieme, tutta la sua figura aveva uno slancio, un'energia che mi sorprendevano. Aggiunsi:

«Ma cambiata in meglio, intendo.»

«Mi fa piacere.»

Siccome continuavamo nelle parole di circostanza, essa disse:

«Ascolta. Ho qui il mio carretto. Perché non mi accompagni mentre faccio il giro della biancheria? Potremo parlare un po' più a lungo.»

«Volentieri» risposi.

XXXIII

Mi mise alle stanghe, spinsi avanti il carretto. Andavamo verso i Giardini. Era un mattino di tarda estate, l'aria limpida e fresca. Fuori le soglie delle botteghe gli ortolani avevano esposto i canestri dei fichi, grosse zucche appese ad un arpione. Dalle porte dischiuse dei forni, delle pizzicherie, odori fragranti ci accompagnavano, lungo il cammino. Traversammo la Volta aspirando effluvi di popone e di frittura.

Pilotando il carretto che era fatto a cesta e carico di sacchetti, ritrovavo la mia voce vernacola: mi annunziavo con il grido scanzonato dei garzoni. *Eeeeoooh!* dicevo, e con quel gesto, con quel grido, stabilivo definitivamente nella mia coscienza un raccordo fra sentimenti antichi e nuove virtù: tornavo una creatura del Quartiere. Qualcosa che non avrei mai dovuto rimpiangere, si perdeva alle mie spalle. Ero contento, di una contentezza goduta, espansiva, come se soltanto in quel momento mi liberassi da un impaccio che per un'eternità mi aveva costretto goffo e irresoluto dinanzi a me stesso. Salutavo ad alta voce le donne che scuotevano i lenzuoli alle finestre, sfioravo col carretto i passanti distratti: avevo bisogno di sentirmi persuaso e sicuro.

Marisa disse:

«Sei il solito buffone.» Rideva, e il suo volto era di gioia, pareva che soltanto uno scrupolo la trattenesse dal partecipare alla mia festa. Aggiunse: «Non credevo ti elettrizzasse tanto spingere il carretto».

«Mi sembra di essere tornato ragazzo, come se nulla fosse successo e io avessi ancora i ginocchi scoperti. Mi sono intristito abbastanza in questi due anni» le risposi.

Fermai il carretto. Le dissi:

«Monta. Siediti sui sacchi ed io ti porto.»

«Ma vai!» Le brillavano gli occhi: la stavo conquistando al mio gioco innocente d'inventarmi la felicità.

«Su, su» insistei «poche storie.»

Bilanciai il carretto; essa vi salì. Allora feci forza sulle stanghe e presi la corsa. Le ruote ferrate rintronavano sulle pietre, la gente si scostava per non essere investita, imprecando. Marisa si reggeva buttandosi indietro sui sacchi, equilibrandosi con le braccia.

«Fermati pazzo» gridava fra le risa.

Demmo spettacolo per tutto Borgo Pinti. All'angolo di via Laura:

«Gira, gira» essa gridò. «Devo scendere.»

Sempre di corsa voltai rasente il marciapiede, contro il quale stridette una ruota. Aiutai Marisa a discendere porgendole la mano. Essa si aggiustò il vestito sui fianchi, prese due sacchetti dal carretto, entrò in un portone. Così più volte, finché Marisa ebbe consegnata la biancheria da un palazzo all'altro, attorno ai Giardini.

Nell'attesa, mi sedevo sul carretto. Accendevo una sigaretta, fumavo. Mi sentivo la mente lucida e bisognosa di espandersi, di comunicare. Cose fatti e pensieri, sui quali avevo a lungo meditato, mi si svelavano chiari ed accessibili: la vita stessa, ancora da vivere e della quale a momenti avevo creduto avvertire il peso con un senso di sconforto, mi appariva adesso come una fortuna che avrei saputo impiegare bene e con diletto. Seduto sul bordo del carretto, la cicca fra le mani, pensai a Giorgio, al suo desiderio di ritrovarmi cosciente un giorno. Sopra la mia testa il cielo era di un cupo azzurro, mi circondava la quiete delle strade prossime ai Giardini ove le case dei borghesi erano raccolte nel lusso, commentate dal suono di un pianoforte sul mattino.

Col carretto ora vuoto andavamo a passo, Marisa ed io. Essa si era colorita in volto come per naturale vivacità, ma la sua espressione, il suo incedere, ogni piega del suo corpo sotto il vestito nero, erano sempre quelli di una donna giovane e sana che ha volontariamente placato i propri sensi ed accettato un destino: le sfiora la carne un brivido appena avvertito.

Nel silenzio delle strade signorili verso il mezzogiorno, le ruote del carretto riempivano l'aria di fracasso: il suono del pianoforte vi si sperse. Sostenendo le stanghe sotto le ascelle, avevo acceso un'altra sigaretta. Aspirando meccanicamente le prime boccate, e fingendo in quel gesto una distrazione, dissi a Marisa:

«Non so perché: provo una certa soggezione a parlarti.»

«Vuol dire che non sei sincero» essa rispose. «Altrimenti, perché dovresti avere soggezione?»

Il tono delle sue parole tendeva ad una severità che non concedeva sotterfugi. Il suo volto aveva un atteggiamento di condiscendenza, di affettuosa ironia, con le narici appena dilatate e le labbra che celavano un sorriso.

«Sei una Marisa diversa, devi ammetterlo. Sembra, a guardarti, che di ogni cosa tu abbia capito il segreto e possa parlarne con distacco.»

«Cioè?»

«È come se tu fossi al di là del bene e del male. Di fronte a te mi sento pieno di peccati che non ho commesso.»

Essa aveva abbassato la testa, camminando. Teneva le mani infilate a metà dentro le piccole tasche del vestito. Rispose, ma tanto a bassa voce che appena la intesi:

«Sono contenta che tu dica questo. Non per orgoglio, ma perché mi prova che anche tu sei cambiato. E cambiato in meglio davvero.»

Rialzò la testa per guardarmi, leggermente accesa alle guance. Si distrasse facendo il gesto di buttarsi indietro i capelli.

«Fermiamoci un poco» le dissi. «Abbiamo molte cose da raccontarci.»

Ci sedemmo l'uno accanto all'altra, all'estremità del carretto ribaltato con le stanghe per terra, a ridosso di un marciapiede, su via Laura diritta e in silenzio: transitava qualche raro passante ed una automobile era ferma sul lato opposto della strada, dove batteva il sole.

Marisa mi informò degli amici. Mi disse che Maria teneva Renzino e la bambina più piccola, che io non conoscevo (ormai di un anno), in campagna dalla suocera. «Vado spesso da Maria» disse. «È serena, e starle vicino mi ha fatto molto bene. Dopo il secondo parto è quasi ringiovanita. Lavora sempre da modista insieme a Luciana. Anche Luciana aspetta un altro figlio.» Giorgio scriveva di star bene, di passare il tempo leggendo e lavorando: aveva imparato a fare il calzolaio. Berto non stava con Giorgio, ma le sue notizie erano ugualmente buone. «Argia invece ha subito il colpo più di tutti. Si è sciupata molto, forse non la riconosceresti. È imprudente. Parla senza badare con chi parla e ci fa stare in pena.» Arrigo era adesso primo lavorante nel solito forno. «Si è fatto crescere i baffi, ed è più che mai tifoso per il calcio» disse Marisa.

Poi mi chiese:

«E tu? Cosa conti di fare?»

«Tornerò in officina. Non ho altro programma per ora.»

«E il cuore?»

«L'ho fatto tacere» risposi. «Ci sono cose più importanti che ascoltare il cuore.»

«Tu credi?» essa disse. Parlava come a se stessa, guardando fissa in avanti per cui la vedevo di profilo. Aveva posato i gomiti sulle ginocchia, le mani sotto il mento. La sentii improvvisamente turbata. Ma fu un nulla, appena un'inflessione della voce a farmelo capire. Subito aggiunse:

«Pensi che Carlo avesse torto?» Ora la sua voce era ferma, non triste, non ostile.

«Sì, aveva torto» risposi. Ebbi un brivido così dicendo, come stessi commettendo una profanazione per debito di sincerità.

Marisa rimase immobile. Con la stessa cadenza di voce mi chiese:

«Pensi che sia morto per nulla?»

Le risposi:

«Egli credeva di essere nella verità.»

Marisa scosse la testa lentamente. Desolata ma severa, disse:

«Non mentire Valerio, ora che sei così buono. Tu sai come per lui quella verità fosse soltanto una finzione, per scampare a qualcosa d'altro che lo torturava. La colpa è mia che accorsi troppo tardi a liberarlo, ed ero la sola a poterlo fare!»

La toccai sul braccio con la mano. Essa parve non sentirmi. Disse:

«Ti ripeto: pensi che Carlo, e mio fratello, mille e mille come loro, siano morti per nulla?»

«Non sono morti per nulla» risposi. «Dal loro esempio noi dovremo imparare a lottare per non essere più traditi.»

«Oh, questo non mi consola» essa disse. La sua voce fu triste allora, come di creatura che non ha più lacrime da versare e della propria disperazione si è fatta una pace, un esilio.

Le presi una mano nella mia.

«Deve consolarti» le dissi. «Ora io sono tornato e siamo amici.» Non seppi aggiungere parola. La aiutai ad alzarsi. Era di nuovo impallidita. Mi sorrise.

«Non ti dò più soggezione?» mi chiese. Piegò appena la testa da un lato.

«Sei brava, Marisa» le dissi.

Ci guardammo negli occhi. Nello sguardo che ci scambiammo, ogni scoria del comune passato arse e si spense senza risentimento. Essa disse:

«Se crederai che anche io possa servire, chiamami. Io so che Carlo non si sarebbe mai diviso da te e da Giorgio.»

Tornammo. Spingevo il carretto con una mano. Era oltre mezzogiorno, e in piazza Santa Croce i tipografi e i mosaicisti si godevano il sole seduti sulle panchine. Sciamarono i ragazzi dalla scuola agitando le cartelle, le squadre da disegno impugnate come pistole. Marisa mi aveva preso a braccetto.

Andavamo, tacendo, alta la testa, per le strade del Quartiere popolato della sua gente. Nel piazzale delle demolizioni la giostra girava deserta e fragorosa, simile ad un grande carillon animato: v'irruppero di corsa gli scolari.

E Marisa disse:

«Hai trovato diverso il Quartiere. Ma la gente c'è ancora

tutta, lo sai. Si è ammassata nelle case rimaste in piedi come se si fosse voluta barricare. Quei pochi che sono andati ad abitare alla periferia, dove c'è l'aria aperta e il sole, nel Quartiere li considerano quasi dei disertori.»

«Infatti» le risposi. «Anche l'aria e il sole sono cose da conquistare dietro le barricate.»

(1943)

Indice